KU-132-327

venezuela

To Martin,

With All My Love

from Tracey x x x
x x
x

'April 1981'

DISTRIBUIDORA SANTIAGO C.A.

HISTORIA

I. Venezuela pre-hispánica

El territorio que hoy se conoce como Venezuela, estuvo habitado por varias tribus indígenas que se extendieron por todas las regiones del país sin establecer entre ellas una unidad política y cultural. Si bien los aborígenes venezolanos no alcanzaron el nivel de desarrollo de otros grupos pobladores de la América pre-hispánica, tuvieron rasgos sociales y culturales sumamente interesantes y su aporte a la idiosincracia del pueblo venezolano es invalorable.

Las tribus indígenas más importantes fueron las de los Arawak, los Caribes y los Timoto-Cuicas.

Su economía se basó fundamentalmente en la caza, pesca y agricultura, y en general fueron expertos artífices y ceramistas.

Los Arawak y los Caribes se esparcieron por todo el territorio. La historia los registra como pueblos valientes que opusieron al conquistador español una guerra feroz. Acerca de su aspecto físico, existe el testimonio del geógrafo alemán Alejandro de Humboldt, que observó a los Caribes en su visita a la Misión del Cari y se impresionó mucho con sus peculiares rasgos físicos. En **Viaje a las regiones equinocciales** los describe así: "No he visto en ninguna parte una raza entera de hombres más alta (de 5 pies y 6 pulgadas a 5 pies y 10 pulgadas) y de estatura más colosal".

Los indios Goajiros, considerados integrantes del area cultural Arawak, se ubicaron en los alrededores del Lago de Maracaibo, desarrollando el sistema de vivienda que se conoce como palafito.

El grupo Timoto-Cuica habitaba la región de los Andes y tuvo relaciones culturales con los Chibchas, indígenas de Colombia. Este grupo alcanzó un alto nivel de socialización: almacenaron las cosechas, domesticaron animales, tuvieron actividades comerciales y crearon hermosas cerámicas.

Otras tribus poblaron la región de los Llanos, las llanuras del Orinoco y la Meseta del Sur.

II. El Descubrimiento

La costa de Venezuela fue descubierta por Cristóbal Colón en su tercer viaje, en 1498. Después de arribar a la Isla de Trinidad, el Almirante siguió por la Boca de Sierpe y por la de Dragos, y el 5 de agosto pisó por primera vez la tierra venezolana en la Península de Paria. La llamó "Tierra de Gracia", siendo éste el primer nombre que tuvo Venezuela.

Colón describirá así su primer contacto con los indios venezolanos: "Esta gente, como ya dije, son todos de muy linda estatura, altos de cuerpo e de muy lindos gestos, los cabellos muy largos é llanos, y traen las cabezas atadas con unos pañuelos labrados, como ya dije, hermosos que parecen de lejos seda y de almazaire: otros traen ceñido más largo que se cobijan con él en lugar de pañetes, ansi hombres como mujeres. La color de esta gente es más blanca que otra que haya visto en las Indias; todos traían al pescuezo y a los brazos algo a la guisa de estas tierras y muchos traían piezas de oro bajo colgando al pescuezo".

El nombre de Venezuela se lo puso a estas tierras el navegante español Alonso de Ojeda, quien comandó en 1499 una expedición que recorrió toda la costa de Venezuela desde el extremo oriental hasta el Cabo de Vela en occidente. En este viaje Ojeda llegó al Lago de Macaraibo, en cuyas aguas los indígenas habían construído casas sobre estaca que le hicieron evocar la ciudad italiana de Venecia. De allí surgió el nombre de Venezuela: Pequeña Venecia.

III. La conquista

El descubrimiento de América fue un acontecimiento sin precedentes que convulsionó la Europa de los siglos XV y XVI, desatándose una larga lucha por el dominio de España sobre el "Nuevo Mundo", período éste que se conoce como la Conquista.

Son numerosos los documentos de la época que hablan de este período, escritos por los llamados "Historiadores de Indias".

Uno de ellos es el que dirige Francisco López de Guevara, clérigo, "A Don Carlos, Emperador de Romanos, Rey de España, señor de las indias y nuevo-mundo". Dice así:

"Muy soberano señor: La mayor cosa después de la creación del mundo, sacando la encarnación y muerte del que lo crió, es el descubrimiento de Indias; y así, las llaman Mundo-Nuevo, y

no tanto le dicen nuevo por ser nuevamente hallado cuanto por ser grandísimo, y casi tan grande como el viejo, que contiene a Europa, Africa y Asia. También se puede llamar nuevo por ser todas sus cosas diferentísimas de las del nuestro. (...) Quiso Dios descubrir las Indias en vuestro tiempo a á vuestros vasallos, para que los convirtiésedes á su santa ley, como dicen muchos hombres sabios y cristianos (...) Justo es pues que vuestra majestad favorezca la conquista y los conquistadores, mirando mucho por los conquistados. Y también es razón que todos ayuden y ennoblezcan las Indias, unos con santa predicción, otros con buenos consejos, otros con provechosas granjerías, otros con loables costumbres y policía".

Así, el proceso de conquista es paralelo al de colonización. A la par que se luchaba con los indios, los españoles creaban establecimientos en tierra americana, abrían caminos e imponían su religión y cultura.

El primer asentamiento español en tierra venezolana se creó a principios del siglo XVI en la isla de Cubagua por lo atrayente de los bancos de perlas de esta región, y se le dio el nombre de "Nueva Cádiz".

Las expediciones continuaron explorando el oriente y el occidente del país, fundando ciudades y creando las bases de la futura nación. De este modo, Gonzalo de Ocampo, en 1521 funda en el oriente la actual ciudad de Cumaná -hoy capital del Estado Sucre- y la llama "Nueva Toledo".

Por este mismo tiempo fue fundada por Juan de Ampíes, en la región nor-occidental, la ciudad de Santa Ana de Coro en 1527. Coro se transformó en un centro de importante actividad con la llegada de los Welser, banqueros alemanes a quienes el Rey Carlos V arrienda en 1528 la Provincia de Venezuela para su exploración y conquista, a cambio de ayuda económica. Los Welser pusieron varios gobernadores y establecieron su capital en Coro; por eso la historia registra a Coro como la primera capital de Venezuela. Fueron los Welser un factor de insurrección y problemas contínuos por su actuación puramente comercial, la gran explotación a la que sometieron a los indios y su escasa labor constructiva en cuanto a fundación de ciudades y creación de obras perdurables. La concesión se canceló, finalmente, en 1556.

Inmediatamente después de la fundación de Coro, se fundaron las ciudades de El Tocuyo, Valencia, Barquisimeto, Trujillo y San Cristóbal. En esta etapa tuvo una singular importancia, tanto por el aspecto económico como por el político, la ciudad de El Tocuyo. De ella partió la expedición comandada por el Capitán Diego de Losada hacia el centro del país, en donde el 25 de julio de 1567, se funda la ciudad de Santiago de León de Caracas, que posteriormente llegaría a ser capital de la Provincia de Venezuela por su situación geográfica y por su excelente clima y fértil tierra. Posteriormente se fundaron las ciudades de Maracaibo y Carora.

IV. La Colonia

La conquista de la región central del país llegó, finalmente, a su culminación con la fundación de Caracas y la muerte de Guaicaipuro, cacique de la aguerrida tribu de los indios Caracas y hoy símbolo de la resistencia aborígen

Comienza entonces el período de la Colonia. Venezuela fue jurisdicción de la Real Audiencia de Santo Domingo, pero en 1718 pasa a ser parte del Virreinato de Nueva Granada. En 1782 el Rey otorgó a la Compañía Guipuzcoana el monopolio del comercio, a cambio de la promesa de acabar con el contrabando.

El acontecimiento político más importante de la Colonia lo constituyó en 1777, la unión de las provincias de Caracas, Cumaná, Guayana, Maracaibo, Margarita y Trinidad en la Capitanía General de Venezuela que estaría al mando de un funcionario impuesto por la Corona Española.

La creación de la Capitanía General de Venezuela es considerada como el primer paso de la integración del territorio venezolano para conformar lo que posteriormente se llamará la nacionalidad venezolana.

Mientras que en la época de la Conquista las actividades del conquistador se centraron fundamentalmente en la búsqueda y explotación de oro, perlas y otras riquezas minerales, en la Colonia comienza a desarrollarse, conjuntamente con la minería y el comercio, la agricultura y la ganadería. Los principales productos fueron el cacao y el café, cultivados en las grandes haciendas.

Paralelamente con la economía, se desarrollaron las instituciones políticas, sociales y culturales. En 1786 se constituyó la Real Audiencia de Caracas y en 1803 se creó el Arzobispado de Caracas. En lo cultural tuvo gran importancia la fundación de la Universidad de Caracas por el Rey Felipe V en 1721; posteriormente se abrieron colegios y cátedras en las diversas provincias. La imprenta llegó a Caracas en 1800.

Este período, que abarca tres siglos de la historia venezolana, se caracteriza por la subordinación en todos los órdenes a la Corona Española, conformándose un sistema económico y social injusto, marcado por la esclavitud, la explotación y el atraso en el orden cultural.

Para fines del siglo XVIII la población de la Capitanía General de Venezuela presentaba varios grupos sociales bien definidos: los blancos españoles o peninsulares que constituían la clase dominante y detentaban el poder político; los blancos criollos, descendientes de los conquistadores y nacidos en Venezuela, quienes conformaron la clase más poderosa económicamente y eran también la élite cultural del país, pero no poseían el poder político; y el grupo de mestizos entre blancos e indios, blancos y negros, e indios y negros. El grupo étnico de los negros fue traído a Venezuela desde Africa por los colonizadores para que trabajaran la tierra. No se les consideró como personas y vivieron en un estado de esclavitud absoluta.

Este tercer grupo social, el de los mestizos, formaba la gran mayoría de la población. Sus integrantes vivieron, sin embargo, en una situación de absoluta inferioridad, privados del acceso a la vida política, económica, social y cultural del país.

Así, el proceso de mestizaje social y cultural que caracteriza al pueblo venezolano se inició desde los primeros días de la Conquista, consolidándose en esta época de la Colonia.

Sobre ello, el escritor venezolano Mariano Picón Salas en su célebre ensayo "De la conquista a la independencia" escribe: "La Humanidad no había conocido, acaso, fuera de los lejanos milenios de la historia oriental, un conflicto de gentes y antagónicas formas de vida como el que se operó con la Conquista de América. Esta colisión de razas, economías y opuestos estilos vitales que aún condiciona la problemática de los países hispanoamericanos, se inició entonces".

V. La Independencia

El movimiento independentista remonta a 1797 con la conjuración de Manuel Gual y José María España, complot éste que fracasó. Otro importante intento fue el comandado por Francisco de Miranda, quien dedicó muchos años de su vida a buscar apoyo en Europa para liberar a Venezuela, empresa que trata de llevar a cabo en 1806 desembarcando en Ocumare de la Costa con una pequeña escuadra. Ante las fuerzas españolas, tuvo que retroceder y refugiarse en Trinidad. Francisco de Miranda es una figura de gran relieve en la historia de Venezuela, hombre sumamente culto y perenne luchador de la causa de la libertad; es conocido, con toda justeza, como el "Precursor de la Independencia". Por si esto fuera poco, Miranda fue General de la Revolución Francesa (1792) y su nombre está grabado en el Arco de Triunfo de París.

Es la fecha del 19 de abril de 1810 la que marca en la historia de Venezuela el primer gran paso hacia la independencia. Bajo el influjo de las corrientes ideológicas provenientes de Europa -el Enciclopedismo y la Ilustración- y motivados por los grandes sucesos políticos recientes: la Revolución Francesa y la Emancipación de los Estados Unidos, los criollos pasan a la acción.

Así, el 19 de abril, Jueves Santo, un grupo numeroso de patriotas se enfrenta al Capitán General Vicente Emparan, representante de la Corona y en un cabildo abierto le exigen la inmediata entrega del poder a una Junta de Gobierno. Emparan renuncia y abandona el país. La Junta de Gobierno se constituye entonces en gobierno autónomo, lo que será la primera etapa hacia la Declaración de Independencia, que se proclamó un año más tarde. El Primer Congreso de Venezuela se reunirá el 2 de marzo de 1811, y el 5 de julio de ese mismo año, proclamará la Independencia absoluta de Venezuela. Se crea la Sociedad Patriótica y se constituye la Primera República.

Sin embargo, para que se hiciera realidad el sueño de independencia de Gual y España, Francisco de Miranda y todos los patriotas que participaron en el Movimiento Patriótico de 1810 -entre los cuales se encontraba Simón Bolívar-, fueron necesarios quince años de guerra, sangre y destrucción.

Breve y agitada fue la vida de la Primera República. La reacción española no se hizo esperar y en 1812 las fuerzas realistas, dirigidas por Monteverde vencen al ejército patriota. Miranda, que estaba al frente de éste, se ve obligado a capitular, será hecho prisionero y enviado a España, donde muere en 1816. De acuerdo con la capitulación, Venezuela pasa a manos del jefe español Monteverde, quien asume la Capitanía General e inicia una sangrienta persecución de los patriotas.

Con la pérdida de la Primera República en 1812, reforzada por el fuerte terremoto acaecido en aquel entonces -el cual produjo consecuencias negativas en el espíritu de los venezolanos- comenzará la etapa más larga y difícil de la Guerra de Independencia, que se prolongará hasta 1821, cuando la victoria, en la Batalla de Carabobo, sella la independencia definitiva del país.

El jefe máximo y conductor de la Guerra de Independencia es Simón Bolívar. En 1812, a la caída de la Primera República, sale para el exilio, pero regresa en marzo de 1813, ayudado por el Gobierno de Nueva Granada, al frente de tropas invasoras. Esta guerra de liberación se conoce como "La Campaña Admirable". Bolívar recorre el país con sus ejércitos, desde Trujillo hasta Caracas, trayecto éste lleno de victorias que culmina con la entrada de Bolívar a Caracas el 7 de agosto de 1813. La ciudad lo recibe con inmensa alegría y le da el título de Libertador de Venezuela y el nombramiento de Capitán General de los Ejércitos de Venezuela.

El 8 de agosto se restablece la República. Esta Segunda República cae nuevamente en poder de los realistas en 1814. Bolívar se asila en Haití y de ahí prepara la nueva invasión.

1817 y 1818 son los años en que Bolívar y Páez, con su ejército de llaneros, unen sus fuerzas y liberan gran parte de Venezuela. Bolívar toma también el territorio de Guayana, y en Angostura -hoy Ciudad Bolívar- instala el Segundo Congreso de Venezuela. El 24 de junio de 1821 los patriotas ganan la Batalla de Carabobo, con lo cual la Independencia de Venezuela queda asegurada.

Simón Bolívar no fue sólo el Libertador de Venezuela; su ideal se centró en la libertad y unión de todas las naciones latinoamericanas.

Así, en 1819 con la Batalla de Boyacá se libera la Nueva Granada y el Congreso de Angostura proclama la constitución de la Gran Colombia, que integrará el antiguo Virreinato de Nueva Granada, la Capitanía General de Venezuela y Perú.

En 1822 quedará liberado el Ecuador con la victoria de las tropas comandadas por el General Sucre en la Batalla de Pichincha.

En 1824 la independencia del Perú será definitiva con la victoria de la Batalla de Ayacucho.

Simón Bolívar, el Libertador, muere después de una grave enfermedad en Santa Marta, Colombia, el 17 de diciembre de 1830.

Las figuras de Gual, España, Francisco de Miranda, Antonio José de Sucre, José Antonio Páez, Simón Bolívar, al lado de las de Andrés Bello y Simón Rodríguez -máximos líderes de la Independencia cultural Americana-, entre otros muchos grandes hombres, representan los ideales de libertad, justicia y unidad latinoamericana, que siguen siendo los más importantes y arraigados valores del pueblo venezolano.

VI. La Vida Republicana

La Gran Colombia se disuelve en 1830 por discordias internas. Es a partir de ese año que la República se organiza constitucionalmente y Venezuela inicia una nueva etapa de su historia política al nombrar como primer presidente al General José Antonio Páez.

Desde entonces, la historia del país está marcada por la constante lucha por la consolidación de sus instituciones políticas y sociales.

El siglo XIX es la época del caudillismo, la guerras civiles y la Guerra Federal. Se alternan varios hombres en el poder, algunos de gran relieve, y son frecuentes los alzamientos armados.

El siglo XX encuentra en el poder a Cipriano Castro, quien fue derrocado por el General Juan Vicente Gómez mediante un golpe de Estado en 1908. Su régimen autocrático, conocido como la "dictadura gomecista" se prolongó hasta 1935, año en que muere. Gómez sumergió al país en un estado de atraso, ignorancia y miseria social.

Es en 1935, con el General Eleazar López Contreras, cuando se iniciará la afirmación de los valores de la democracia en Venezuela. Sin embargo, las convulsiones políticas continúan y los sucesivos gobiernos del General Medina Angarita y del ilustre escritor Rómulo Gallegos son derrocados por golpes de Estado.

Será tan sólo en 1958, con el movimiento popular que puso fin a la dictadura de Marcos Pérez Jiménez, cuando se instaura de manera estable el régimen democrático en Venezuela, cuya primera presidencia ganó, en elecciones libres celebradas ese mismo año, al veterano dirigente político, Don Rómulo Betancourt. Desde entonces, los presidentes que han gobernado Venezuela, han sido electos por el voto popular y han culminado su período constitucional. La constitución vigente fue aprobada en 1961. El parlamento (Congreso Nacional) es bicameral, y sus miembros son electos en las elecciones nacionales cada cinco años, simultáneamente con el Presidente de la República.

HISTORY

Pre-Hispanic Venezuela

The territory that is now Venezuela was inhabited before the Spanish conquest by several Indian tribes; they were scattered over various regions, with no political or cultural unity. Though these Venezuelan aborigines did not attain the level of development of other groups which peopled pre-Hispanic South America, their socio-cultural traits were extremely interesting and they contributed very largely to the idiosyncrasy of the Venezuelan people.

The leading native tribes were the Arawaks, the Caribs and the Timoto-Cuicas.

Their economy was based essentially on hunting, fishing and farming; they were also expert craftsmen, especially skilled in making ceramics.

The Arawaks and the Caribs were scattered over the whole territory. They made their mark on history as valiant people who fiercely resisted the Spanish conquistadores. Their physical characteristics were noted by the German geographer Alexander von Humboldt, who observed the Caribs during his visit to the Cari Mission and was impressed by their physique. In "Travels in the Equinoctial Regions" he wrote: "Nowhere have I seen such a tall race of men (5'6" to 5'10"), of such powerful stature".

The Guajiros Indians, considered as belonging to the Arawak culture, lived in the neighbourhood of Lake Maracaibo, where they developed a type of dwelling called the palafitte.

The Timoto-Cuicas lived in the Andean region and had cultural contacts with the Chibchas, natives of Colombia. They attained a high degree of socialization, storing harvests, domesticating animals, engaging in trade, and making splendid ceramics.

Other tribes peopled the pampas, the Orinoco plains and the southern plateau.

The discovery of Venezuela

The coast of Venezuela was discovered by Christopher Columbus during his third voyage in 1498. After calling at the island of Trinidad, the Admiral continued via the Boca de Sierpe and the Boca de Dragos, and on 5th August he set foot for the first time on Venezuelan soil on the Peninsula of Paria. He called the country Tierra de Gracia.

Columbus described thus his first contact with the local Indians: "These people, as I have already said, have a fine stature; they are tall, with handsome features and very long, wiry hair... around their heads are wound magnificent figured scarves, at a distance resembling silk Moorish turbans. Others wore a wide waistband tied around in the form of a loincloth, men and women alike. The skin of these men was whiter than that of other peoples I have seen in the Indies; around their neck or arms they all wore something typical of these regions; many of them wore around the neck pieces of gold which hung down in long necklaces".

It was the Spanish navigator Alonso de Ojeda who gave the country the name of Venezuela. In 1499 he commanded an expedition which sailed along the coast from the extreme East as far as Cabo de la Vela in the West. During the expedition Ojeda discovered Lake Maracaibo, in whose waters the Indians had built dwellings on piles, reminiscent of Venice. Hence the name Venezuela, meaning "Little Venice" in Spanish.

The Conquest

The discovery of America was an unprecedented event which had a tremendous impact on Europe in the fifteenth and sixteenth centuries and triggered a long struggle for Spain's domination of the New World.

This period of the conquest has been amply documented by chroniclers of the time. One of them, an ecclesiastic named Francisco Lopez de Guevara, in a missive addressed to Don Carlos, Emperor of the Romans, King of Spain, Lord of the Indies and of the New World, wrote: "The most remarkable thing since the creation of the world, apart from the incarnation and death of the Creator, is the discovery of the Indies; they call it the New World, new not so much because of its recent discovery as because of its immensity, almost as big as the Old World comprising Europe, Africa and Asia. It can also be called new because here everything is very different from our world... God has been so good as to cause the Indies to be discovered in your time and by your subjects in order that you may convert them to His Holy Law, as many wise and Christian men say... it is therefore just that Your Majesty should favour the conquest and the conquerors, at the same time watching over the conquered peoples. It is also just that all should help and elevate the Indies, some by bringing the Gospel, others by providing good advice, others by useful exploitation, others again by their admirable organization and customs".

Thus the conquest ran parallel with the process of colonization. At the same time as they combated the Indians, the Spaniards set up establishments on American soil, opened roads, and imposed their religion and culture.

The first Spanish settlement in Venezuela was established early in the sixteenth century on the island of Cubagua by reason of the local pearl beds; it was given the name New Cadiz.

Expeditions continued to explore the East and West of the country, founding towns and laying the foundations of the future nation. In 1521, for example, Gonzalo de Ocampo founded the city of Cumana, today the capital of the State of Sucre, in the Eastern region. It was originally called New Toledo.

In 1527 Juan de Ampies founded the town of Santa Ana de Coro, in the North-West. It became a busy centre with the arrival of the Welsers, German bankers to whom Charles V rented the Province of Venezuela in 1528 to exploit and subjugate it in exchange for economic aid. The Welsers appointed several Governors and made Coro their capital. It was thus the first capital of Venezuela. The Welsers were the cause of insurrection and the source of continual problems as a result of their purely commercial activity, their ruthless exploitation of the Indians, and their failure to creat a sufficient number of new towns and durable buildings. The concession was terminated in 1556.

Immediately after the foundation of Coro, the towns of El Tocuyo, Valencia, Barquisimeto, Trujillo and San Cristobal were established. El Tocuyo was of particular economic and political importance; it was the starting point for the expedition led by Captain Diego de Losado to the centre of the country, where the town of Santiago de Leon de Caracas was founded on 25th July 1567; subsequently it became the capital of the Province of Venezuela, thanks to its geographical situation, excellent climate and fertile soil. The towns of Maracaibo and Carora were founded later.

The Colonial period

The conquest of the central region of the country culminated in the founding of the city of Caracas and the death of Guaicaipuro, leader of the warlike Caracas tribe, today the symbol of Indian resistance.

It was then that the Colonial period began. Venezuela came under the jurisdiction of the Real Audiencia (Royal Tribunal) of Santo Domingo, but in 1718 it became part of the Viceroyalty of Nueva Granada. In 1782 the King granted the trade monopoly to the Guipuzcoa Company in exchange for an undertaking to put an end to contraband.

The most important event of the Colonial period occurred in 1777, when the provinces of Caracas, Cumana, Guayana, Maracaibo, Margarita and Trinidad were brought into the single territorial circumscription of Venezuela, which was placed under the authority of a servant of the Spanish Crown.

The creation of the territory of Venezuela was the first step towards the integration of the country and its subsequent emergence into nationhood.

Whereas during the period of conquest the conquistadores concentrated mainly on the search for and exploitation of gold, pearls and other valuable mineral resources, during the Colonial period agriculture and livestock farming began to develop, parallel with mining and trading. The principal crops were cocoa and coffee, grown in large haciendas.

Political, social and cultural institutions developed along with the economy. 'The Real Audiencia' of Caracas was created in 1786, and the Archbishopric in 1803. The foundation of the University of Caracas by King Philip V in 1721 was a major cultural event. Subsequently, colleges and faculties were created in various provinces. The printing industry came to Caracas in 1800.

This period, covering three centuries of Venezuelan history, was characterized by subordination to all orders emanating from the Spanish Crown. It was an unjust social and economic system, marked by slavery, exploitation and cultural backwardness.

At the end of the eighteenth century the population of Venezuela comprised a number of well-defined groups: the white Spaniards, who constituted the dominant class and wielded political power; the white Creoles, descendants of the conquistadores, born in Venezuela (they were the most economically powerful class and also formed the cultural élite of the country); and the half-breeds (offspring of whites and Indians, whites and Negroes, and Indians and Negroes). The Negroes had been brought from Africa by the colonizers to work on the land; they were complete slaves, and their existence as persons was not recognized.

The half-breeds accounted for the great majority of the population. But they had an inferior status, deprived of access to the political, economic, social and cultural life of the country.

Thus the process of social and cultural fusion characteristic of the Venezuelan people, which began in the early days of the conquest, was consolidated during the Colonial period.

In this connection, the Venezuelan writer Mariano Picon Salas writes, in his celebrated essay "From the Conquest to Independence": Mankind had never known, except perhaps in the distant past of Oriental history, a conflict of peoples and life-styles comparable to that which resulted from the conquest of South America. It was at that time that there occurred the clash of races, economies and customs which is still an integral part of the problems of Latin-American countries.

Independence

The independence movement dates back to 1797, with the unsuccessful conspiracy of Manuel Gual and José Maria España. Another major attempt was led by Francisco de Miranda, who spend several years seeking European support for the liberation of Venezuela. He landed at Ocumare de la Costa with a small body of men, but had to withdraw in the face of the Spanish opposition and took refuge in Trinidad. Francisco de Miranda is a great figure in Venezuelan history; a highly cultivated man who ceaselessly defended the cause of freedom, he is deservedly known as the "precursor of independence". He was also a General of the French Revolution in 1792, and his name is engraved on the Arc de Triomphe in Paris.

The first major step towards Venezuelan independence was on 19th April 1810. Influenced by the European ideological trends of encyclopaedism and enlightenment and motivated by recent great political events - the French Revolution and the emancipation of the United States - the Creoles acted.

On that day, Easter Thursday, a large group of patriots faced up to Captain-General Vicente Emparan, the representative of the Crown, and in a general assembly of the population demanded the immediate transfer of power to a Junta (Government Council). Emparan refused, and left the country. The Government Council was formed as an autonomous government, and this was the step leading to the Declaration of Independence proclaimed a year later. The first Congress of Venezuela met on 2nd March 1811; and on 5th July of the same year the absolute independence of Venezuela was proclaimed. The Patriotic Society was created and the First Republic constituted.

But before this independence of which Gual, España, Francisco de Miranda and all the patriots who took part in the patriotic movement of 1810 (among them Simon Bolivar) had dreamed became reality, fifteen years of war, bloodshed and destruction had to be endured.

The life of the First Republic was short and turbulent. Spanish reaction was not long in manifesting itself, and in 1812 the Royalist forces, led by Monteverde, won a victory over the Patriot army. Miranda, its commander, was forced to capitulate; he was taken prisoner and sent to Spain, where he died in 1816. Under the terms of the capitulation, Monteverde took over in Venezuela and ruthlessly persecuted the patriots.

With the fall of the First Republic in 1812 and the terrible earthquake which occurred at the time, there began the longest and most difficult stage of the War of Independence, which lasted until 1821, when victory at the Battle of Carabobo finally secured Venezuela's independence.

The leader of the War of Independence was Simon Bolivar. When the First Republic fell in 1812 he went into exile, but returned in March 1813, with the help of the government of Nueva

Granada, at the head of an invasion force. In this "Admirable Campaign", as it is called, Bolivar led his troops across the country from Trujillo to Caracas, winning victories all the way, and finally entered Caracas on 7th August 1813. The city welcomed him enthusiastically, named him the Liberator of Venezuela, and conferred on him the rank of Captain-General of the Armies of Venezuela.

On 8th August the Republic was restored, but this Second Republic fell to the Royalists in 1814. Bolivar fled to Haiti, where he prepared a fresh invasion.

In 1817 and 1818 Bolivar and Paez with their army of gauchos combined forces and liberated a large part of Venezuela. Bolivar took the territory of Guayana and the Second Congress of Venezuela was set up in Angostura (now Ciudad Bolivar) on 24th June 1821. The patriots won the Battle of Carabobo, and the independence of Venezuela was secured.

Simon Bolivar was not merely the Liberator of Venezuela; his ideal was the freedom and unity of all Latin American countries.

Thus in 1819, with the Battle of Bocaya, Nueva Granada was liberated and the Angostura Congress proclaimed the constitution of Gran Colombia, uniting the former Virreinato of Nueva Granada, the Circumscription of Venezuela, and Peru.

In 1822 Ecuador was liberated with the victory of General Sucre's troops at the Battle of Pichincha.

The independence of Peru was finally secured by the Battle of Ayacucho in 1824.

Simon Bolivar the Liberator died at Santa Marta, Colombia, on 17th December 1830, following a serious illness.

The names of Gual, España, Francisco de Miranda, Antonio José de Sucre, José Antonio Paez, and Simon Bolivar himself, along with Andrés Bello and Simon Rodriguez, leaders of the cultural independence of South America, and many other great men too, stand for the ideals of Latin American freedom, justice and unity that are the most important and deep-rooted values of the Venezuelan people.

The Republic

For reasons of internal discord, Gran Colombia was dissolved in 1830. With effect from that year, the Republic was organized constitutionally and Venezuela entered a new phase of its political history with the appointment of General José Antonio Paez as its first President.

From that time on, there was a constant struggle for the consolidation of the country's political and social institutions.

The nineteenth century was the era of Caudillism, civil wars, and the Federal War. Several men succeeded one another in power - some of them were brilliant - and armed risings were frequent.

The twentieth century began with Cipriano Castro in power; he was ousted by General Juan Vicente Gomez in the coup d'état of 1908. His autocratic régime, known as the Gomecista dictatorship, lasted until his death in 1935. Gomez plunged the country into backwardness, ignorance, and social misery.

Democratic values asserted themselves in Venezuela in 1935 with the advent of General Eleazar Lopez Contreras. But political convulsions continued, and the successive governments of General Medina Angarita and the famous writer Romulo Gallegos were toppled by coups d'état.

It was not until 1958, with the popular movement which put an end to the dictatorship of Marcos Perez Jiménez, that a stable democratic régime was established in Venezuela. The elections of that year brought the former political leader Don Romulo Betancourt to the office of President. Since then the Presidents who have governed Venezuela have been elected by popular vote and have completed their terms of office. The present Constitution was approved in 1961. The Parliament (National Congress) has two houses, and its members are elected by nation-wide vote every five years, as is the President of the Republic.

HISTOIRE

I. Le Vénézuéla pré-hispanique

Le territoire connu aujourd'hui comme le Vénézuéla fut habité par plusieurs tribus indigènes qui se dispersèrent dans toutes les régions du pays sans établir entre elles une unité politique ou culturelle. Si les aborigènes vénézuéliens n'atteignirent pas le niveau de développement des autres groupes peuplant l'Amérique pré-hispanique, ils eurent des traits socio-culturels extrêmement intéressants et leur apport à l'idiosyncrasie du peuple vénézuélien est incalculable.

Les tribus indigènes les plus importantes furent celles des Arawak, des Caribes et des Timoto-Cuicas.

Leur économie était basée fondamentalement sur la chasse, la pêche et l'agriculture et, en général, ils furent experts en artisanat et céramique.

Les Arawak et les Caribes se dispersèrent sur tout le territoire. L'histoire les a notés comme étant des peuples vaillants qui opposèrent au conquérant espagnol une guerre féroce. Sur leur aspect physique, il existe le témoignage du géographe allemand Alexander von Humboldt, qui observa les Caribes lors de sa visite à la Mission du Cari et fut impressionné par leurs traits physiques particuliers. Dans **Voyage dans les régions équinoxiales**, il les décrit ainsi : « Je n'ai vu nulle part une race entière d'hommes aussi haute (de 5 pieds et 6 pouces à 5 pieds et 10 pouces) et de stature aussi colossale ».

Les indiens Guajiros, considérés comme partie intégrante de l'Aire Culturelle Arawak, se tenaient dans les alentours du lac de Maracaibo, développant un système d'habitation connu sous le nom de palafitte.

Le groupe Timoto-Cuica habitait la région des Andes et eut des relations culturelles avec les Chibchas, indigènes de Colombie. Ce groupe atteint un haut niveau de socialisation : ils entreposaient les récoltes, domestiquaient des animaux, avaient des activités commerciales et créaient de merveilleuses céramiques.

D'autres tribus peuplaient la région de la Pampa, les plaines de l'Orénoque et le Plateau du Sud.

II. La découverte

La côte du Vénézuéla fut découverte par Christophe Colomb, lors de son troisième voyage, en 1498. Après avoir touché l'île de Trinidad, l'Amiral continua par la Boca de Sierpe et la Boca de Dragos, et le 5 août il foula pour la première fois la terre vénézuélienne sur la péninsule de Paria.

Il l'appela « Terre de Grâce », ce fut le premier nom du Vénézuéla.

Colomb décrira ainsi son premier contact avec les indiens vénézuéliens : « Les gens de ce peuple, ont une belle stature : ils sont grands, avec de beaux visages, leurs cheveux sont très longs et raides, leur tête ceinte de foulards ouvragés, comme je l'ai déjà dit, magnifiques et qui ressemblent de loin à la soie et à des turbans maures. D'autres avaient une ceinture plus large dans laquelle ils se drapaient en guise de pagnes, aussi bien les hommes que les femmes. La peau de ces hommes était plus blanche que celle d'autres peuples que j'ai vus aux Indes. Ils portaient tous, au cou ou aux bras un objet typique de ces terres et beaucoup portaient au cou des pièces d'or qui pendaient en longs colliers ».

C'est le navigateur espagnol Alonso de Ojeda qui donna le nom de Vénézuéla à ces terres. En 1499, il commandait une expédition qui parcourut toute la côte du Vénézuéla depuis l'extrême orientale jusqu'au Cap de Vela, à l'ouest. Durant ce voyage Ojeda au lac de Maracaibo, sur les eaux duquel les indigènes avaient construit des maisons reposant sur des pilotis et ceci lui rappela la ville italienne de Venise. De là provient le nom de Vénézuéla : Petite Venise.

III. La conquête

La découverte de l'Amérique fut un événement sans précédent qui bouleversa l'Europe des XVème et XVIème siècles, déchaînant une longue lutte pour la domination de l'Espagne sur le Nouveau Monde, période historique connue sous le nom de Conquête.

Les documents de l'époque qui parlent de cette période sont nombreux, ils ont été écrits par les « Chroniqueurs des Indes ».

L'un de ces documents est adressé par Francisco Lopez de Guevara ecclésiastique, « A Don Carlos, Empereur des Romains, Roi d'Espagne, Seigneur des Indes et du Nouveau-Monde ». Il dit :

« Mon très haut Souverain ; la chose la plus extraordinaire après la création du monde, hormis l'incarnation et la mort de celui qui l'a créée, est la découverte des Indes ; et ils l'appellent le Nouveau Monde, nouveau pas tant pour sa découverte récente que que pour son immensité, et presque aussi grand que le vieux qui rassemble l'Europe, l'Afrique et l'Asie. On peut aussi l'appeler Nouveau parce que tout ici est très différent par rapport à notre monde (...) Dieu a bien voulu découvrir les Indes en votre temps et à vos vassaux pour que vous les convertissiez à sa sainte loi comme disent beaucoup d'hommes sages et chrétiens (...) il est juste que Votre Majesté favorise la conquête et les conquérants, en veillant bien sur les conquis. Il est juste aussi que tous aident et ennoblissent les Indes, les uns avec l'annonce de l'évangile, les autres avec de bons conseils, d'autres encore par d'utiles exploitation, d'autres enfin par leurs coutumes et une organisation louables ».

Ainsi le processus de la conquête est parallèle à celui de la colonisation. Tout en luttant contre les indiens, les espagnols créaient des établissements en terre américaine, ouvraient des routes et imposaient, en général, leur religion et leur culture.

La première résidence espagnole en terre vénézuélienne fut créée au début du XVIème siècle dans l'île de Cubagua à cause de l'attrait des bancs de perles de cette région, et ils lui donnèrent le nom de Nouvelle Cadix.

Les expéditions continuèrent à explorer l'orient et l'occident du pays, fondant des villes et posant les bases de la future nation. C'est de cette façon que Gonzalo de Ocampo, fonde dans l'orient, en 1521, l'actuelle ville de Cumana - aujourd'hui la capitale de l'Etat de Sucre - et l'appelle Nouvelle Tolède.

A cette même époque Juan de Ampies fonde, en 1527 dans la région nord-occidentale, la ville de Santa Anna de Coro. Coro se transforma en un centre de grande activité avec l'arrivée des Welser, banquiers allemands à qui le Roi Charles V loue, en 1528, la Province du Vénézuéla pour l'explorer et la conquérir en échange d'une aide économique. Les Welser imposèrent plusieurs gouverneurs et établirent leur capitale à Coro - c'est pourquoi l'histoire a fait de Coro la première capitale du Vénézuéla -. Les Welser furent un facteur d'insurrection et de problèmes continuels. A la suite de leur action purement commerciale, la grande exploitation à laquelle ils soumirent les indiens et la pauvreté de leur action quant à la fondation de villes et la création d'ouvrages inadaptés, la Concession prit fin en 1556.

Immédiatement après la fondation de Coro, furent fondées les villes de El Tocuyo, Valencia, Barquisimeto, Trujillo et San Cristobal. Durant cette étape, la ville de El Tocuyo connut une singulière importance tant par son développement économique que politique. Elle fut le point de départ de l'expédition commandée par le capitaine Diego de Losada vers le centre du pays où, le 25 juillet 1567, était fondée la ville de Santiago de Léon de Caracas, qui par la suite, serait la capitale de la Province du Vénézuéla en raison de sa situation géographique, de son climat excellent et de ses terres fertiles. Les villes de Maracaibo et Carora furent créées plus tard.

IV. La colonie

La conquête de la région centrale du pays parvint finalement à son apogée avec la fondation de Caracas et la mort de Guaicaipuro, cacique de la tribu guerrière des indiens Caracas et aujourd'hui symbole de la résistance aborigène.

C'est alors que commence la période de la colonie. Le Vénézuéla fut une juridiction du Tribunal Royal (Real Audiencia) de Santo Domingo, mais en 1718 il fit partie du Vice-Royaume de Nouvelle Grenade. En 1782, le Roi concéda à la Compagnie de Guipuzcoa le monopole du commerce, contre la promesse d'en terminer avec la contrebande.

L'événement le plus important de la Colonie eut lieu en 1777, avec l'union des provinces de Caracas, Cumana, Guayana, Maracaibo, Margarita et Trinidad en une circonscription territoriale du Vénézuéla qui serait placée sous le commandement d'un fonctionnaire imposé par la Couronne d'Espagne.

La création de la Circonscription Générale du Vénézuéla est considérée comme étant le premier pas vers l'intégration du territoire vénézuélien pour former postérieurement ce qui s'appellera la nationalité vénézuélienne.

Alors que dans la période de la Conquête les activités du « conquistador » étaient centrées fondamentalement sur la recherche et l'exploitation de l'or, des perles et autres richesses minérales, pendant la Colonie, l'agriculture et l'élevage commencent à se développer parallèlement à l'exploitation des mines et au commerce. Les principaux produits furent le cacao et le café, cultivés dans les grandes haciendas.

En même temps que l'économie, se sont développées les institutions politiques, sociales et culturelles. La Real Audiencia (Tribunal Royal) de Caracas fut constituée en 1786 et l'Archévéché, en 1803. Dans le domaine culturel, la fondation de l'Université de Caracas par le Roi Philippe V, en 1721, fut d'une grande importance. Par la suite des collèges et des chaînes furent créés dans les différentes provinces. L'imprimerie arriva à Caracas en 1800.

Cette période qui couvre trois siècles de l'histoire vénézuélienne, se caractérise par la subordination à tous les ordres émanant de la Couronne d'Espagne, correspondant à un système économique et social injuste, marqué par l'esclavage, l'exploitation et le retard culturel.

A la fin du XVIIIème siècle, la population de la Circonscription territoriale du Vénézuéla présentait plusieurs groupes bien définis : les blancs espagnols ou péninsulaires qui constituaient la classe dominante et détenaient le pouvoir politique ; les blancs créoles, descendants des conquérants et nés au Vénézuéla qui correspondaient à la classe la plus puissante économiquement et formaient aussi l'élite culturelle du pays, mais ne possédaient pas le pouvoir politique ; et le groupe des métis entre blancs et indiens, blancs et noirs et indiens et noirs. Le groupe ethnique des noirs fut amené d'Afrique au Vénézuéla par le colonisateur afin qu'ils travaillent la terre. Ils n'étaient pas considérés comme des personnes et vivaient dans un état d'esclavage total.

Ce troisième groupe social des métis formait la grande majorité de la population. Les éléments qui le constituaient vivaient, cependant, dans un état d'infériorité totale, privés de l'accès à la vie politique, économique, sociale et cuturelle du pays.

Ainsi le processus de métissage social et culturel qui caractérise le peuple vénézuélien commença-t-il dès les premiers jours de la Conquête, se consolidant à cette époque de la Colonie.

A ce sujet, l'écrivain vénézuélien Mariano Picon Salas écrit dans son fameux essai « De la Conquête de l'Indépendance » : « L'humanité n'avait jamais connu, sauf peut-être dans la nuit des temps de l'histoire orientale, un conflit de personnes et de styles de vie, comme celui qui eut pour cadre la conquête de l'Amérique. C'est à cette époque que prit naissance cet affrontement de races, d'économies et de mœurs qui font partie intégrante des problèmes des pays hispano-américains ».

V. L'Indépendance

Le mouvement d'indépendance remonte à 1797 avec la conjuration de Manual Gual et José Maria España, complot qui échoua. Une autre tentative importante fut commandée par Francisco de Miranda qui passa plusieurs années de sa vie à chercher un appui en Europe pour libérer le Vénézuéla. Entreprise qu'il tente de mener à bien en débarquant à Ocumare de la Costa avec une petite escouade ; mais il dut reculer devant les forces espagnoles et se réfugier à Trinidad. Francisco de Miranda est une figure de grand relief dans l'histoire du Vénézuéla, homme extrêmement cultivé et perpétuel lutteur pour la cause de la liberté, il est connu à juste titre, comme étant le « Précurseur de l'Indépendance ». Et qui plus est, Miranda fut Général de la Révolution Française (1792) : son nom est gravé sur l'Arc de Triomphe de Paris.

C'est la date du 19 avril 1810 qui marque, dans l'histoire du Vénézuéla, le premier grand pas vers l'indépendance. Sous l'influence des courants idéologiques venant d'Europe - l'Encyclopédisme et l'Illustration - et motivés par les grands événements politiques récents : la Révolution Française et l'Emancipation des Etats Unis, les créoles passent à l'action.

Ainsi, le 19 avril, Jeudi Saint, un groupe nombreux de patriotes affronte le Capitaine Général Vicente Emparan, représentant de la Couronne et en une assemblée générale des habitants exigent la remise immédiate du pouvoir à un Conseil du Gouvernement (Junta). Emparan renonce et quitte le pays. Le Conseil du Gouvernement se constitue alors en un gouvernement autonome, ce qui sera l'étape vers la Déclaration d'Indépendance qui fut proclamée un an plus tard. Le Premier Congrès du Vénézuéla se réunira le 2 mars 1811 et le 5 juillet de cette même année, proclamera l'Indépendance absolue du Vénézuéla. La Société Patriotique est créée et la Première République constituée.

Cependant, pour que ce rêve d'Indépendance de Gual et España, Francisco de Miranda et tous les patriotes qui participèrent au Mouvement Patriotique de 1810 - parmi lesquels figure Simon Bolivar - devienne réalité, quinze ans de guerre, de sang et de destruction furent nécessaires.

La vie de la Première République fut brève et agitée. La réaction espagnole ne se fit pas attendre et en 1812, les forces royalistes, dirigées par Monteverde remportent une victoire sur l'armée patriote. Miranda, qui était à la tête de celle-ci, est obligé de capituler, il sera fait prisonnier et envoyé en Espagne où il meurt en 1816. En accord avec la capitulation, le Vénézuéla passe aux mains du chef espagnol Monteverde, qui assume la direction de la Circonscription Générale et entreprend une persécution sanglante des patriotes.

Avec la perte de la Première République en 1812, renforcée par le terrible tremblement de terre de cette époque - ce qui eut des conséquences négatives dans l'esprit des vénézuéliens - commencera l'étape la plus longue et difficile de la Guerre d'Indépendance qui se prolongera jusqu'en 1821, lorsque la victoire, à la Bataille de Carabobo, scelle l'indépendance définitive du pays.

Le chef suprême et conducteur de la Guerre d'Indépendance est Simon Bolivar. En 1812, avec la chute de la Première République, il part pour l'exil mais revient en mars 1813, aidé par le Gouvernement de la Nouvelle Grenade, à la tête de troupes d'occupation. Cette guerre de libération est connue sous le nom de « La Campagne Admirable ». Bolivar parcourt le pays avec ses troupes, de Trujillo à Caracas, trajet plein de victoires, qui culmine avec l'entrée triomphale à Caracas le 7 août 1813. La ville le reçoit avec une immense joie et lui donne le titre de Libérateur du Vénézuéla et le grade de Capitaine Général des Armées du Vénézuéla.

Le 8 août, la République est rétablie. Cette Seconde République retombe, en 1814, aux mains des royalistes. Bolivar se réfugie en Haïti et y prépare une nouvelle invasion.

1817 et 1818 sont les années pendant lesquelles Bolivar et Paez, avec leur armée de « gauchos », unissent leurs forces et libèrent une grande partie du Vénézuéla. Bolivar reprend aussi le territoire de Guayana et le Second Congrès du Vénézuéla s'installe à Angostura - aujourd'hui Ciudad Bolivar - le 24 juin 1821, les patriotes gagnent la Bataille de Carabobo par laquelle l'Indépendance du Vénézuéla est assurée.

Simon Bolivar ne fut pas seulement le Libérateur du Vénézuéla ; son idéal était fondé sur la liberté et l'union de toutes les nations latino-américaines.

Ainsi, en 1819 avec la Bataille de Bocaya la Nouvelle Grenade est libérée et le Congrès d'Angostura proclame la constitution de la Grande Colombie qui réunira l'ancien Vice-Royaume de Nouvelle Grenade, la Circonscription Générale du Vénézuéla et le Pérou.

En 1822 l'Equateur sera libéré avec la victoire des troupes commandées par le Général Sucre, à la Bataille de Pichincha.

En 1824 l'indépendance du Pérou sera définitive après la bataille victorieuse d'Ayacucho.

Simon Bolivar, le Libérateur, meurt après une grave maladie à Santa Marta, en Colombie, le 17 décembre 1830.

Les figures de Gual, España, Francisco de Miranda, Antonio José de Sucre, José Antonio Paez, Simon Bolivar, à côté de celles de Andrés Bello et Simon Rodriguez - chefs suprêmes de l'indépendance culturelle américaine - parmi beaucoup d'autres grands hommes, représentent les idéaux de la liberté, justice et unité latino-américaine, et sont les valeurs les plus importantes et les plus enracinées du peuple vénézuélien.

VI. La vie républicaine

En raison de discordances internes, la Grande Colombie est dissoute en 1830. C'est à partir de cette année-là que la République s'organise constitutionnellement et le Vénézuéla entame une nouvelle étape de son histoire politique en nommant le Général José Antonio Paez son premier Président.

Dès lors l'histoire du pays est marquée par une lutte constante pour la consolidation de ses institutions politiques et sociales.

Le XIXème siècle est l'époque du caudillisme, des guerres civiles et de la Guerre Fédérale. Plusieurs hommes se succèdent au pouvoir, quelques-uns brillants, et les soulèvements armés sont fréquents.

Le XXème siècle commence avec le pouvoir de Cipriano Castro qui fut renversé en 1908 par le coup d'état du Général Juan Vicente Gomez. Son régime autocratique, connu sous le nom de « dictature Gomeciste » se prolongea jusqu'en 1935, année de sa mort. Mais Gomez plongea le pays dans le marasme, l'ignorance et la misère sociale.

C'est en 1935, avec le Général Eleazar Lopez Contreras, que s'amorçera l'affirmation des valeurs de la démocratie au Vénézuéla. Cependant, les convulsions politiques continuent et les gouvernements successifs du Général Medina Angarita et du célèbre écrivain Romulo Gallegos sont renversés par des coups d'Etat.

Ce n'est qu'en 1958, avec le mouvement populaire qui mit fin à la dictature de Marcos Pérez-Jiménez que s'instaure de manière stable le régime démocratique au Vénézuéla. La première présidence est confiée, après des élections libres qui eurent lieu cette même année, à l'ancien dirigeant politique, Don Romulo Bétancourt. Depuis, les présidents qui ont gouverné le Vénézuéla, ont été élus par un vote populaire et ont accompli leur période constitutionnelle. La constitution actuellement en vigueur fut approuvée en 1961. Le Parlement (Congrès National) est bicaméral et ses membres sont élus par des élections nationales tous les cinq ans, en même temps que le Président de la République.

GESCHICHTE

I. Venezuela in Vorspanischer Zeit

Auf dem Gebiet des heutigen Venezuela lebten mehrere Eingeborenenstämme, die sich über das gesamte Land verteilten, jedoch keine politische oder kulturelle Einheit bildeten. Diese venezolanischen Ureinwohner erreichten zwar nicht die gleiche Entwicklungsstufe wie die übrigen Gruppen im vorspanischen Amerika, sie besassen jedoch ausserordentlich interessante sozial - kulturelle Eigenarten und ihr Beitrag zum venezolanischen Volkscharakter ist unschätzbar.

Die wichtigsten Eingeborenstämme waren die Arawak, die Karaiben und die Timoto-Cuicas.

Sie lebten in erster Linie von Jagd, Fischfang und Ackerbau, und waren im allgemeinen hervorragende Handwerker und Töpfer.

Die Arawak und die Karaiben waren über das ganze Gebiet verstreut. In die Geschichte sind sie als tapfere Völker eingegangen, die dem spanischen Eroberer einen erbitterten Kampf lieferten. Ihr Äusseres beschrieb der deutsche Geograph Alexander von Humboldt, der die Karaiben bei seinem Besuch in der Mission von Kari beobachtete und von ihrer eigenartigen Erscheinung beeindruckt war. In seinem Wark «Voyages aux régions équinoxiales» («Vom Orinoko zum Amazonas») gibt er folgende Beschreibung: «Nirgendwo habe ich eine Menschenrasse von so hohem Wuchs (zwischen 5 Fuss, 6 Zoll und 5 Fuss, 10 Zoll) und so mächtiger Gestalt gesehen».

Die Guajiro-Indianer, die man dem Kulturkreis der Arawak zurechnet, hielten sich in der Umgebung des Maracaibosees auf, wo sie die Siedlungsform der Pfahlbauten entwickelten.

Die Timoto-Cuica-Gruppe lebte im Andengebiet und unterhielt kulturelle Beziehungen zu dem kolumbianischen Eingeborenenstamm der Chibchas. Diese Gruppe erreichte einen hohen Grad gesellschaftlicher Organisation. Sie lagerten ihre Ernten, hielten Haustiere, trieben Handel und schufen herrliche Töpferarbeiten.

Andere Stämme bevölkerten die Pampa, die Llanos des Orinoko und das Tafelland im Süden.

II. Die Entdeckung

Die Küste Venezuelas wurde 1498 von Christoph Kolumbus auf seiner dritten Reise entdeckt. Nachdem er an der Insel Trinidad vorbeigekommen war, fuhr der Admiral weiter durch die Boca de Dragos und Boca de Sierpe und betrat am 5. August auf der Halbinsel Paria zum erstenmal venezolanischen Boden. Er taufte das Gebiet «Land der Gnade», und das wurde der erste Name Venezuelas.

Seinen ersten Kontakt mit den venezolanischen Indianern beschreibt Kolumbus so: «Die Menschen dieses Volkes sind, wie ich schon sagte, von schöner Gestalt; sie sind gross, ihre Gesichter sind schön, ihre Haare sehr lang und steif, um den Kopf haben sie farbenprächtig bestickte Tücher geschlungen, die von weitem wie Seide aussehen und an maurische Turbane erinnern. Andere, Frauen sowohl als auch Männer, hatten eine Art verbreiterten Gürtel, den sie als Lendenschurz trugen. Die Hautfarbe dieser Menschen war heller als die der anderen Völker, die ich in Indien gesehen habe. Um den Hals oder am Arm trugen sie alle irgendeinen typischen Gegenstand dieses Landes und viele trugen lange, herabhängende Ketten aus Goldstücken um den Hals».

Den Namen Venezuela erhielt dieses Gebiet von dem spanischen Seefahrer Alonso de Ojeda. Im Jahre 1499 führte er eine Expedition an, welche die gesamte Küste Venezuelas von ihrem östlichen Gipfel bis Kap Vela im Westen entlangfuhr. Auf dieser Reise gelangte er zum Maracaibosee, in dem die Eingeborenen Hütten auf Pfählen errichtet hatten, was Ojeda an Venedig erinnerte. Und so kam es zu dem Namen Venezuela: Klein-Venedig.

III. Die Eroberung

Die Entdeckung Amerikas brachte grosse Umwälzungen im Europa des 15. und 16. Jahrhunderts mit sich. Eine lange Folge von Kämpfen um die Vorherrschaft Spaniens in der «Neuen Welt» folgte, welche in der Geschichte als die «Epoche der Eroberungen» bezeichnet wurde.

Aus dieser Zeit gibt es viele zeitgenössische Dokumente, die von den «Chronisten Indiens» geschrieben wurden.

Eines dieser Dokumente stammt von dem Geistlichen Francisco Lopez Guevara und ist «An Don Carlos, Kaiser der Römer, König Spaniens, Herrscher Indiens und der Neuen Welt» gerichtet. Der Inhalt lautet:

«Mein allerhöchster Herrscher: Das grösste Ereignis seit der Schöpfung der Welt ist die Entdeckung Indiens. Man nennt es die Neue Welt, «neu» nicht so sehr wegen der erst kurz zurückliegenden Entdeckung, sondern wegen seiner riesigen Ausdehnung. Sie ist fast so gross wie die Alte Welt, d.h. Europa, Afrika und Asien zusammen. Neu kann man sie auch deshalb nennen, weil hier alles vollkommen anders ist als in unserer Welt (...) Es hat Gott gefallen, die Entdeckung Indiens Euch und Euren Untertanen zukommen zu lassen, damit Ihr sie zu seinem Heiligen Wort bekehrt, das meinen auch viele weise und christliche Männer (...) Daher ist es rechtens, wenn Eure Majestät der Eroberung und den Eroberern den Vorrang geben, gleichzeitig aber die Eroberten beschützen. Es ist auch rechtens, dass alle helfen, Indien zu veredeln, die einen durch die Verkündigung des Evengeliums, andere mit guten Ratschlägen, wieder andere durch nützliche Bewirtschaftung, oder aber durch ihre Bräuche oder eine zweckmässige Organisation».

So verläuft dann die Kolonisation parallel zur Eroberung. Die Spanier kämpften gegen die Indianer, und errichteten zur gleichen Zeit Niederlassungen auf amerikanischem Boden, schufen Verkehrswege und zwangen der Bevölkerung im allgemeinen ihre Religion und ihre Kultur auf.

Die erste spanische Niederlassung auf venezolanischem Boden wurde Anfang das 16. Jahrhunderts auf der Insel Cubagua gegründet, und zwar wegen der Perlenbänke in der Umgebung, derentwegen die Siedlung den Namen «Neu-Cadiz» erhielt.

Die Expeditionen fuhren fort, den Osten und den Westen des Landes zu erforschen, Städte wurden gegründet und die Grundlagen der zukünftigen Nation gelegt. So gründete Gonzalo de Ocampo 1521 im Osten das heutige Cumaná- jetzt die Hauptstadt des Staates Sucre - das er «Neu-Toledo» nannte.

Etwa um die gleiche Zeit, 1527, gründete Juan de Ampiés im Nordwesten die Stadt Santa Ana de Coro. Mit der Ankunft der Familie Welser entwickelte sich Coro zu einem bedeutenden Handelszentrum. Die Welser waren deutsche Bankiers, denen König Karl V. im Jahre 1528 als Gegenleistung für wirtschaftliche Hilfe die Kolonisationsrechte in der Provinz Venezuela überliess. Die Welser setzten mehrere Gouverneure ein und machten Coro zu ihrer Hauptstadt-daher gilt Coro als erste Hauptstadt Venezuelas. Der rein kommerzielle Charakter ihrer Tätigkeit, ihre rücksichtslose Ausbeutung der Indios und ihr fehlender Einsatz in Bezug auf Stadtgründungen und Schaffung dauerhafter Einrichtungen, führten alsbald zu Aufruhr und ständigen Problemen mit den Eingebornen. Die Konzession wurde schliesslich im Jahre 1556 widerrufen.

Unmittelbar nach der Gründung Coros wurden die Städte El Tocuyo, Valencia, Barquisimeto, Trujillo und San Cristobal gegründet. In diesem Zeitabschnitt erlangte die Stadt El Tocuyo eine ausserordentliche Bedeutung, sowohl auf wirtschaftlichem, wie auch auf politischem Gebiet. Sie war der Ausgangspunkt einer Expedition, die unter dem Befehl des Hauptmanns Diego de Losada ins Landesinnere aufbrach, wo am 25. Juli 1567 die Stadt Santiago de Leon de Caracas gegründet wurde, die später die Hauptstadt der Provinz Venezuela wurde, und zwar sowohl wegen ihrer geographischen Lage, als auch wegen ihres ausgezeichneten Klimas und ihres fruchtbaren Bodens. Die Städte Maracaibo und Carora wurden später gegründet.

IV. Die Kolonialzeit

Die Eroberung des Landesinneren erreichte schliesslich ihren Höhepunkt mit der Gründung von Caracas und dem Tod Guaicaipuros, Häuptling des kriegerischen Indianerstammes der Caracas, der heute als Symbol für die Widerstandsbewegung der Eingeborenen gilt.

Damit begann die Epoche der Kolonisation. Venezuela war der Gerichtsbarkeit des Königlichen Gerichts (Real Audiencia) von Santo Domingo unterstellt, und ab 1718 wurde es Teil des Vice-Königreichs von Neugranada. 1782 überliess der König das Handelsmonopol der Handelsgesellschaft «Guipuzcoana» gegen das Versprechen, den Schmuggel zu unterbinden.

Das wichtigste Ereignis der Kolonialzeit war 1777 die Vereinigung der Provinzen Caracas, Cumaná, Guayana, Maracaibo und Trinidad zum Verwaltungsgebiet Venezuela, an dessen Spitze ein von der spanischen Krone bestellter Beamter stand.

Die Errichtung eines Regierungsbezirks Venezuela war der erste Schritt auf dem Weg zu einem Gebietszusammenschluss, der später zu dem wurde, was man als die venezolanische Nation bezeichnet.

Während zur Zeit der Eroberungen das Interesse der «Konquistadoren» eigentlich nur auf die Suche und Ausbeutung von Perlen, Goldvorkommen und anderen Bodenschätzen gerichtet war, entwickelten sie in der Kolonialzeit neben Bergbau und Handel auch Landwirtschaft und Viehzucht. Die wichtigsten Erzeugnisse waren Kakao und Kaffee, die auf grossen Haciendas angebaut wurden.

Parallel zur wirtschaftlichen Entwicklung verlief der Aufbau politischer, sozialer und kultureller Einrichtungen. 1786 wurde die «Real Audiencia» (Königlicher Gerichtshof) von Caracas errichtet. 1803 wurde die Stadt Erzbistum. Auf kulturellem Gebiet war die Gründung der Universität Caracas durch König Philipp II. im Jahre 1721 von grosser Bedeutung; in der Folgezeit wurden auch in anderen Provinzen Schulen und Lehrstühle geschaffen.

Diese Epoche der venezolanischen Geschichte, die 300 Jahre dauerte, ist gekennzeichnet durch völlige Unterordnung unter die spanische Krone, was eine ungerechte Wirtschafts- und Sozialordnung mit sich brachte, die ihren Ausdruck in Sklaverei, Ausbeutung und kulturellem Rückstand fand.

Ende des 18. Jahrhunderts gab es im Verwaltungsgebiet Venezuela mehrere Bevölkerungsgruppen, die sich deutlich voneinander unterschieden: die weissen Spanier, in deren Händen die politische Macht lag; die weissen Kreolen, in Venezuela geborene Nachkommen der Eroberer, die die wirtschaftlich stärkste Gruppe und gleichzeitig auch die kulturelle Elite des Landes bildeten, jedoch nicht die politische Macht besassen; die Mestizen, Mischlinge zwischen Weissen und Indianern, Weissen und Schwarzen und zwischen Indianern und Schwarzen. Die ethnische Gruppe der Schwarzen wurde von den Kolonisten aus Afrika nach Venezuela gebracht, wo sie die Feldarbeit leisten mussten. Sie wurden nicht als Menschen angesehen und lebten in völliger Sklaverei.

Die Mestizen stellten die grösste Bevölkerungsgruppe, die jedoch in totaler Unterdrückung lebte; der Zugang zum politischen, wirtschaftlichen, sozialen und kulturellen Leben des Landes war ihnen verwehrt.

Der Prozess sozialer und kultureller Vermischung, der so charakteristisch für das venezolanische Volk ist, setzte mit der Eroberung selbst ein und konsolidierte sich während der Kolonialzeit.

Der venezolanische Schriftsteller Mariano Picon Salas schrieb dazu in seinem berühmten Essay «Von der Eroberung zur Unabhängigkeit» folgendes: Die Menschheit hatte nie-es sei denn in der frühen orientalischen Geschichte -einen Konflikt von Menschen und Lebensstilen gekannt wie den, der die Eroberung Amerikas zum Rahmen hatte. Zu dieser Epoche fand der Zusammenstoss der Rassen, der Wirtschaften und der Sitten statt, die nun einmal zu den Problemen der ibero-amerikanischen Länder gehören».

V. Die Unabhängigkeit

Die Unabhängigkeitsbewegung geht bis ins Jahr 1797 zurück, auf die Verschwörung von Manuel Gual und José Maria España, die misslang. Ein anderer bedeutender Versuch wurde von Francisco de Miranda unternommen, der mehrere Jahre seines Lebens damit verbrachte, in Europa Unterstützung für die Befreiung Venezuelas zu organisieren. Er versuchte, dieses Ziel durch eine Landung mit einer kleinen Schwadron bei Ocumare de la Costa zu erreichen, musste jedoch den spanischen Streitkräften weichen und nach Trinidad flüchten. Francisco de Miranda ist eine hervorragende Persönlichkeit in der Geschichte Venezuelas, ein hochgebildeter Mann und ständiger Kämpfer für die Sache der Freiheit. Man nennt ihn zu Recht den «Vorkämpfer der Unabhängigkeit». Mehr noch, Miranda war Revolutionsgeneral in Frankreich (1792) und sein Name steht auf dem Triumphbogen in Paris.

Der erste Schritt auf dem Wege zur Unabhängigkeit Venezuelas ist mit dem Datum des 19. April 1810 verknüpft. Unter dem Einfluss der ideologischen Strömungen aus Europa und der grossen politischen Ereignisse, wie der Französischen Revolution und der Unabhängigkeitserklärung der Vereinigten Staaten von Amerika, gingen die Kreolen in Venezuela zur Tat über.

So stellt sich am 19. April, ein Gründonnerstag, eine starke Gruppe von Patrioten dem Generalkapitän Vicente Emparan, dem Vertreter der Krone, entgegen und fordert als Vertretung der Einwohner die unmittelbare Übergabe der politischen Macht an einen Regierungsrat (Junta). Emparan kapitulierte und verliess das Land. Der regierende Rat bildete alsdann eine autonome Regierung, eine Etappe auf dem Weg zur Unabhängigkeitserklärung, die ein Jahr später verkündet wurde. Der erste venezolanische Nationalkongress versammelte sich am 2. März 1811 und verkündete am 5. Juli des gleichen Jahres die vollständige Unabhängigkeit Venezuelas. Die Patriotenpartei wurde gegründet und die Erste Republik errichtet.

Bevor sich jedoch der Traum von der Unabhängigkeit des Landes, der von Gual, España, Francisco de Miranda und allen an der patriotischen Bewegung von 1810 Beteiligten, unter ihnen auch Simón Bolívar, verwirklichte, mussten 15 Jahre blutiger Kriege und der Zerstörung ins Land gehen.

Die erste Republik hatte ein kurzes und bewegtes Leben. Die Reaktion der Spanier liess nicht auf sich warten, und im Jahre 1812 errangen die royalistischen Truppen unter Monteverde einen Sieg über die patriotische Armee. Miranda, welcher an ihrer Spitze stand, musste kapitulieren. Er wurde als Gefangener nach Spanien geschickt, wo er 1816 starb. Gemäss der Kapitulationsvereinbarung wurde Venezuela dem spanischen Oberfehlshaber, Monteverde, unterstellt. Unter seiner Führung begann eine blutige Verfolgung der Patrioten.

Mit dem Untergang der Ersten Republik 1812, dessen negative Auswirkungen auf das Bewusstsein der Venezolaner durch das schreckliche Erdbeben jener Epoche noch verstärkt wurden, begann die längste und schwierigste Periode des Unabhängigkeitskrieges. Sie dauerte bis 1821, als der Sieg in der Schlacht von Carabobo endgültig die Unabhängigkeit des Landes besiegelte.

Der Oberbefehlshaber und geistige Leiter des Unabhängigkeitskrieges ist Simón Bolívar. Nach dem Sturz der Ersten Republik im Jahre 1812 ging er ins Exil, kam aber - unterstützt von der Regierung Neu-Granada - an der Spitze der Invasionstruppen im März 1813 zurück. Diese Phase des Befreiungskrieges ist unter dem Namen des «wunderbaren Feldzuges» bekannt. Bolívar durchquerte das Land mit seinen Truppen von Trujillo bis Caracas in einem Siegeszug, der mit dem Einmarsch in Caracas am 7. August 1813 seinen Höhepunkt fand. Die Stadt empfing ihn mit einer grossen Freudenkundgebung, verlieh ihm den Titel eines Befreiers Venezuelas und den Rang eines Generalkapitäns der venezolanischen Armee.

Am 8. August wird die Republik wiederrichtet. 1814 fällt auch diese zweite Republik in die Hände der Royalisten. Bolívar flüchtet nach Haiti und bereitet von dort aus eine neue Invasion vor.

1817 und 1818 vereinigen Bolívar und Paez ihre Streitkräfte in ihrer «Gauchoarmee» und befreien einen grossen Teil Venezuelas. Bolívar erobert alsdann das Gebiet von Guayana, und der zweite venezolanische Kongress nimmt seinen Sitz in Angostura, dem heutigen Ciudad Bolívar. Am 24. Juni 1821 gewinnen die Patrioten die Schlacht von Carabobo, und damit ist die Unabhängigkeit Venezuelas gesichert.

Simón Bolívar war nicht nur der Befreier Venezuelas, sein Ideal war die Freiheit und die Vereinigung aller Nationen Lateinamerikas. So wird im Jahre 1819 mit dem Sieg von Boyacá (Kolumbien) Neu-Granada befreit, und der Kongress von Angostura verkündet die Verfassung von Gross-Kolumbien, welches das ehemalige Vizekönigreich Neu-Granada, das General-Gouvernement Venezuela und Peru umfasst. Im Jahre 1822 wird Ekuador mit dem Sieg des Generals Sucre in der Schlacht von Pichincha (Ekuador) befreit. Die Unabhängigkeit Perus wird mit dem Sieg von Ayacucho im Jahre 1824 erlangt. Der Befreier Simón Bolívar stirbt nach schwerer Krankheit in Santa Marta in Kolumbien am 17. Dezember 1830. Die Gestalten von Gual, España, Francisco de Miranda, Antonio José de Sucre, José Antonio Paez, Simón Bolívar, sowie auch Andrés Bello und Simón Rodríguez - die Wegbereiter der kulturellen Unabhängigkeit Südamerikas - stehen neben vielen anderen bedeutenden Männern für die Ideale der Freiheit, Gerechtigkeit und Einheit Südamerikas, und gehören zu den hervorragendsten Vertretern des venezolanischen Volkes.

VI. Das Leben der Republik

Gross-Kolumbien löst sich 1830 wegen innerer Streitigkeiten auf. Im gleichen Jahr gibt sich die Republik Venezuela eine Verfassung. Mit der Ernennung des Generals José Antonio Paez zum ersten Präsidenten beginnt ein neuer Abschnitt in der Geschichte des Landes.

Von da an ist die Geschichte Venezuelas durch einen ständigen Kampf um die Festigung der politischen und sozialen Institutionen gekennzeichnet.

Das 19. Jahrhundert ist die Epoche der Caudillos (Führer) der Bürgerkriege und des südamerikanischen Bundeskrieges. Mehrere Männer lösen sich an der Macht ab, einige von ihnen sind hervorragende Gestalten. Bewaffnete Aufstände sind häufig.

Das 20. Jahrhundert beginnt mit der Regierung Cipriano Castro, der 1908 durch den Staatsstreich des Generals Juan Vicente Gómez gestürzt wird. Sein autokratisches Regime, das unter dem Namen «Gomezistische Diktatur» bekannt wurde, dauert bis zu seinem Todesjahr 1935. Gómez stürzt das Land in Rückstand, Unwissenheit und soziales Elend.

Die Prinzipien der venezolanischen Demokratie festigen sich erst ab 1935 mit dem General Eleazar López Contreras. Die politischen Erschütterungen gehen jedoch weiter, und die aufeinanderfolgenden Regierungen des Generals Medina Angarita und des bekannten Schriftstellers Romulo Gallegos werden durch Staatsstreiche gestürzt.

Erst mit der Volksbewegung, welche 1958 die Diktatur des Generals Marcos Pérez Jiménez beendet, konsolidiert sich definitiv die demokratische Regierungsform in Venezuela. Nach freien Wahlen im gleichen Jahr wird der ehemalige politische Führer Don Romulo Betancourt zum ersten Präsidenten gewählt. Seitdem sind alle Präsidenten Venezuelas in allgemeinen Wahlen gewählt worden und konnten ihre verfassungsmässige Amtszeit zu Ende führen. Die zur Zeit gültige Verfassung wurde 1961 verabschiedet. Das Parlament (Nationalkongress) besteht aus zwei Kammern und seine Mitglieder werden alle fünf Jahre in Wahlen auf nationaler Ebene, gleichzeitig mit dem Präsidenten der Republik, gewählt.

MER DES CA

CORO

MARACAIBO

SAN FELIPE

MARACAY
VALENCIA   CARA

BARQUISIMETO

SAN JUA

SAN CARLOS

MERIDA

GUANARE

BARINAS

SAN FERNANDO

SAN CHRISTOBAL

C
O
L
O
M
B
I
E

PUERTO

ÏBES

LA ASUNCION

CUMANA

BARCELONA

MATURIN

TUCUPITA

Puerto Ordaz

CIUDAD BOLIVAR

YACUCHO

O C E A N   A T L A N T I Q U E

ZONE · EN

RECLAMATION

B R E S I L

REGION ANDINA

Esta región comprende tres estados: Táchira, Mérida y Trujillo, situados en la parte occidental de Venezuela, cubriendo el 3,27% del área total del país.

El viajero que emprende la ruta de los Andes se sorprenderá con la magnitud de atractivos naturales y culturales que presenta la región.

El primer estado que encuentra en su recorrido de este a oeste es Trujillo, cuyo paisaje reúne selvas exuberantes y suaves valles al lado de hermosas montañas.

Su ciudad capital, Trujillo, de austera fisonomía, guarda importantes reliquias históricas. La época colonial está presente en los famosos Conventos de Trujillo y La Catedral de Trujillo, en tanto que de la heróica gesta de la independencia nos exhibe la casa denominada "Centro de Historia de Trujillo", en cuyos salones, el Libertador Simón Bolívar firmó su histórica proclama de "Guerra a Muerte" en 1813. Trujillo es una ciudad sumamente acogedora, tranquila y de clima fresco, situada a 800 m. sobre el nivel del mar. La multiplicidad de colores, variedad del paisaje y despejado cielo del Estado Trujillo, lo convierten en un lugar ideal de paseo para el turista. Proveniente desde Barquisimeto, en el Estado Lara, se adentrará por tierras andinas camino a la Cordillera, encontrando a su paso la Meseta de Esnujaque, obra maestra de la naturaleza en su rica vegetación. Más adelante está la ciudad de Boconó, ubicada en un fértil valle. Es un jardín de incomparable belleza que justifica su nombre: "Jardín de Venezuela". Sus habitantes, amantes del trabajo y del arte, tienen una intensa vida cultural, cuyo centro es un bien dotado Ateneo.

Otro lugar turístico es el pueblo de Isnotú, lugar de nacimiento de José Gregorio Hernández, "el santo de los pobres", médico venerado por numerosos católicos, quienes han convertido este pueblo en un centro de peregrinación al santuario que alberga su imagen.

La activísima ciudad de Valera recibe al visitante en una meseta a 547 m. de altura sobre el nivel del mar. Es la ciudad del Estado que ha experimentado mayor crecimiento y gracias a sus vías de comunicación aérea con puntos importantes del país, es un centro social y económico de importancia.

En las proximidades de Valera, está la aldeíta de San Rafael, grato paraje en donde se encuentra uno de los balnearios termales más populares de Venezuela.

En el Estado Trujillo nació, entre otros personajes, Salvador Valero, pintor popular muy apreciado por los venezolanos.

Siguiendo la ruta de los Andes hacia el oeste, se encuentra el Estado Mérida, donde el aire se torna más frío. La Sierra Nevada de Mérida es su guardián. Ella reúne las cumbres más altas del país, coronadas por el Pico Bolívar, de nieve permanente, que se eleva hasta 5.007 m., mayor altura de los Andes Venezolanos y del relieve total del país. Estas montañas, en cuyas laderas se forman glaciares lagunas, imponen al Estado majestad y silencio y le confieren el nombre de "Techo de Venezuela".

Tiene el Estado altos páramos, entre los que resalta el de Mucuchíes, a más de 4.000 m. de altitud. En ellos crecen los frailejones con sus flores amarillas y velludas hojas, simbolizando la necesidad de abrigo de la región, lo cual en los hombres tiene su expresión en las típicas ruanas.

El Estado Mérida tiene grandes espacios abiertos al cielo, con desfiladeros, hondos valles, y pequeñas y pintorescas aldeas donde se cultiva a orillas de los riachuelos los productos agrícolas de la región.

Mucuchíes es un hermoso pueblo de espíritu colonial ubicado cerca del Páramo del mismo nombre. También está Santo Domingo, pueblito radicado en un valle, en cuyas proximidades encontrará el turista la Laguna de Mucubají, y entre Mucuchíes y Santo Domingo, la Laguna Negra, ambas célebres por sus abundantes truchas, deleite de los que cultivan el deporte de la pesca y plato obligado de la región. También brindan su encanto los pueblos de Tovar, Bailadores, Timotes y muchos otros.

La capital del Estado es la ciudad de Mérida. Está situada en una meseta regada por los ríos Chama y Albarregas. Tiene un clima sumamente agradable y su privilegiada ubicación la dota de hermosos paisajes.

La ciudad de Mérida es sede de la Universidad de los Andes, y gran parte de su vida gira en torno a la población estudiantil.

En el centro de la ciudad está la Catedral, reliquia colonial que fue reconstruída después de su destrucción por un violento terremoto.

Entre los paseos turísticos más atractivos que brinda Mérida, está el Parque Zoológico de los Chorros de Milla, con sus hermosos saltos de agua y los parques que tanto aman los merideños: el Parque de los Enamorados, el Parque de los Artistas y el Parque de la Isla, entre otros. También podrán visitarse sus museos, a escoger entre el Museo de Arte Moderno y el Museo de Arte Colonial. Allí se encuentra la base del teleférico más alto del mundo, en el que el turista se remontará, recorriendo 12 Kms., hasta el Pico Espejo, en la Sierra Nevada, cuya altitud es de 4.765 m.

El Estado Táchira, el más norteño de la región andina, se caracteriza por sus centros poblados de gran actividad y su geografía surcada por ríos y parajes montañosos de clima frío.

La capital del estado es la ciudad de San Cristóbal, situada a 825 m. sobre el nivel del mar. Posee una elevada población y es un núcleo de intenso intercambio comercial con otras regiones del país, en especial los Llanos, así como también con la República de Colombia, con la cual limita.

Entre los lugares turísticos de la ciudad están: el Chorro del Indio y la Piedra de Jorungo, bellos lugares de paseo y camping, y el Balneario El Tambo, así como su Catedral Colonial. La Plaza de Toros es una de las más importantes del país.

Cerca de San Cristóbal está situada la ciudad de Rubio, famosa por sus puentes. En sus inmediaciones el turista puede visitar "La Alquitrana", lugar histórico porque en él funcionó en 1878, la primera compañía petrolera de Venezuela, la "Petrolia".

Aparte de sus bellezas geográficas, la región andina cuenta con una notable riqueza cultural y humana. Este hombre que habita la región de la Venezuela tropical donde hay nieve, es descendiente de los Timoto-Cuicas y otras tribus indígenas que vivieron en este territorio, las cuales sufrieron un proceso de mestizaje con los blancos españoles. El andino conserva, sin embargo, rasgos étnicos esencialmente indígenas.

El pueblo andino es amante de las tradiciones y de la vida sencilla y tranquila. Su existencia es dura por el intenso frío y las exigencias del trabajo agrícola, lo cual contribuye a conformar el caracter serio y algo hermético que es propio del andino; al tiempo que se muestra sumamente acogedor con el visitante.

La región posee una larga tradición agrícola que parte desde la época pre-hispánica y hoy en día sigue siendo la actividad fundamental de sus habitantes. Se cultivan principalmente papas, trigo, maíz, arvejas, café, cacao y caña de azúcar. En los Andes se dan también hermosas y variadas flores de montaña que pueblan los mercados y ferias.

Las características y modo de vida del pueblo andino tienen en la artesanía una de sus principales expresiones. Es por eso que en la producción artesanal resaltan los bellos tejidos, elaborados para proteger a los hombres de las inclemencias del clima. Además de las ruanas, cobijas y cobertores, se elaboran alpargatas, sombreros, cestas y revisteros. En cerámica son abundantes las tinajas, materos, platos y tinajones de alfarería popular.

El folklore andino se manifiesta sobre todo en las danzas y ceremonias religiosas. Entre las más populares están la danza en honor a San Isidro Labrador, patrón de la agricultura, y la fiesta en honor a San Benito, que se baila al son del tambor y de la "flauta chimbangalera". Es muy hermosa la fiesta de Corpus Cristi, extendida en todo el país, para la cual se adorna la Plaza Mayor de ciudades y pueblos con arcos de los que penden los frutos del campo para que las cosechas sean bendecidas. En San Cristóbal se celebra la famosa fiesta de San Sebastián, fiesta de toros.

En la Navidad se cantan y tocan villancicos dedicados al Niño Dios y se organiza después del Año Nuevo la fiesta llamada "Robo, Búsqueda y Paradura del Niño", que comienza con la búsqueda de la imagen perdida del Niño Dios, a la cual se integra todo el pueblo, y culmina con la elaboración del pesebre, una vez recobrado éste. La simbólica fiesta se acompaña de danza, canciones, versos, un banquete y el brindis final.

THE ANDEAN REGION

The three States of Tachira, Mérida and Trujillo lie in the Andean region, which is in Western Venezuela and covers 3.27% of the total area of the country.

The traveller in this region cannot fail to be impressed by the grandeur of its natural scenery and its cultural interest.

Proceeding from East to West, the first State encountered is Trujillo, featuring lush forests, splendid mountains, and peaceful valleys. Its capital, also called Trujillo, is of rather austere aspect but is of considerable historical interest. The Colonial period is represented by its convents and its cathedral, and in the house now called the Trujillo Historical Centre Simon Bolivar the Liberator signed his celebrated "War to the Death" proclamation in 1813.

Trujillo lies at an altitude of 800 metres and has a cool climate. The whole State, with its varied scenery, is an ideal tourist area.

Approaching the Cordillera of the Andes from Barquisimeto in the State of Lara, the traveller encounters the Plateau of Esnujaque, a masterpiece of nature amid lush vegetation. Further on is the town of Boconó, situated in a fertile valley known as the "garden of Venezuela", and indeed it fully deserves the name. Boconó's hardworking inhabitants take a keen interest in the arts, and the town has a lively cultural life centred around a well-equipped Athenaeum.

The village of Isnotú is another spot of tourist interest. It is the birthplace of José Gregorio Hernández, the "saint of the poor", a doctor venerated by many Catholics who have made the village a place of pilgrimage; his statue stands in a shrine.

The busy town of Valera stands on a plateau 547 metres above sea level. It has grown faster than any other town in the State, and is an important social and economic centre thanks to its air communications with major towns and cities all over the country.

Near Valera is the hamlet of San Rafael, a pleasant spot, one of the most popular spa resorts in Venezuela.

Among other celebrities, the popular Venezuelan painter Salvador Valero was born in the State of Trujillo.

Continuing Westwards, we come to the State of Mérida, guarded by the Sierra Nevada. The climate is cooler here. In this State are the country's highest mountain peaks, topped by Cerro Bolivar, rising to a height of 5,007 metres. The State is indeed called the "Roof of Venezuela". There are extensive deserted plateaux like Mucuchies, at an altitude of more than 4,000 metres, where frailejones grow; they have yellow flowers and villous leaves. These wide open spaces are intersected by deep gorges and valleys in which nestle picturesque hamlets where local produce is grown on the river banks.

Mucuchies is a pretty Colonial-style village near the plateau of the same name. Santo Domingo lies in a valley not far from the Laguna de Mucubají, which like the Laguna Negra between Mucuchies and Santo Domingo abounds in trout, a popular local speciality. Among many other charming villages are Tovar, Bailadores, and Timotes.

The capital of the State is Mérida, standing on a plateau watered by the Chama and the Albarregas. It enjoys a pleasant climate and is surrounded by attractive scenery. Mérida is the seat of the University of the Andes, and much of its life is centred around student activities.

In the centre of the city is the cathedral, a reminder of Colonial days; it was rebuilt after the original edifice was destroyed by a violent earthquake.

Mérida has some attractive parks and gardens, including the Chorros de Milla Zoological Gardens, the Parque de los Enamorados, the Parque de los Artistes, and the Parque de la Isla. Also worth visiting are the Museum of Modern Art and the Museum of Colonial Art. From Mérida the tourist can take the world's highest cable-car lift, 12 kilometres long, to the summit of Mount Espejo, 4,765 metres high in the Sierra Nevada.

The State of Tachira is the most Northerly State in the Andean region; it is mountainous, criss-crossed by rivers, and has a cold climate. There are numerous thriving towns, and the capital is San Cristobal, altitude 825 metres, a busy and populous centre of trade with other parts of Venezuela (in particular the plains) and with the nearby Republic of Colombia.

San Cristobal's tourist attractions include the Colonial cathedral, the arena, the fine walking and camping sites of El Chorro del Indio and La Piedra de Jorungo, and the resort centre of El Tambo.

Not far away is the town of Rubio, famed for its bridges; and in the environs the tourist can visit La Alquitrana, a historic spot where Venezuela's first oil company, Petrolia, operated in 1878.

Apart from its scenic beauty, the Andean region has much of human and cultural interest. The inhabitants are descendants of the Timoto-Cuicas and other native tribes of former days whose members intermarried with white Spaniards. However, they retain their essentially native ethnic characteristics.

The Andean people are attached to their traditions and lead a simple life. The cold climate and the demands of their agricultural work make their existence a hard one, and contribute to their serious and somewhat reticent character, though they are extremely friendly to visitors.

The region has a long-established agricultural tradition that has its roots in pre-Hispanic days; farming is still the main activity of its inhabitants. The principal crops are potatoes, wheat, maize, peas, coffee, cocoa and sugar cane. A wide variety of beautiful flowers also grow in the Andes and are sold in the markets.

The characteristics and life-style of the Andean people are expressed in their craftwares. Ponchos, blankets and bedspreads are made from warm materials of excellent quality. Canvas shoes, hats, baskets and book covers are also produced, together with ceramics: jars, maté pots, dishes, and other items of domestic pottery.

Andean folklore finds expression mainly in dancing and religious ceremonies. The most popular include the dance in honour of San Isidro the Farmer, the patron saint of agriculture, and the San Benito festival featuring dancing to drum and chimbangalera flute accompaniment. The festival of Corpus Christi is a major event too; the main squares of the towns and villages are decorated with arches from which hangs farm produce, so that the harvest may be blessed. In San Cristobal the festival of San Sebastian, the bull fête, is celebrated.

At Christmas, there is music and carol-singing; and after the New Year there is a festival called "the theft of the Child, his search and discovery". It begins with the search for the lost statue of the Christ Child in which the whole village takes part, and ends with the setting up of the crib once the statue has been found. This symbolic festival is accompanied by dancing, singing and poetry recitals, culminating in a celebratory banquet.

REGION ANDINE

Cette région comprend trois provinces : Tachira, Mérida et Trujillo, situées dans l'ouest du Vénézuéla et couvrant 3,27 % de la surface totale du pays.

Le voyageur qui prend la route des Andes sera surpris de la grandeur et les attraits naturels et culturels que présente la région.

La première province qu'il découvre sur son chemin d'est en ouest est Trujillo, dont le paysage réunit des forêts exubérantes et de douces vallées à côté de belles montagnes.

Sa capitale, Trujillo, à la physionomie austère, conserve d'importantes reliques historiques. L'époque coloniale est présente dans les fameux « Couvents de Trujillo » et la « Cathédrale de Trujillo », à tel point que de la geste héroïque de l'Indépendance on nous exhibe la maison dénommée « Centre de l'histoire de Trujillo », dans les salons de laquelle le Libérateur Simon Bolivar signa son historique proclamation « Guerre à Mort », en 1813. Trujillo est une ville extrêmement accueillante, tranquille, au climat frais, située à 800 m au-dessus du niveau de la mer. La diversité des couleurs, la variété du paysage et le ciel dégagé de cette région en font un lieu d'excursion idéal pour le touriste. En venant de Barquisimeto, dans la province de Lara, il s'engagera sur les terres andines, vers la cordillère, en trouvant sur son passage le « Plateau de Esnujaque », chef d'œuvre de la nature au milieu de sa riche végétation. Plus loin, la ville de Bocono est située dans une vallée fertile. C'est un jardin d'une incomparable beauté qui justifie son nom : « Jardin du Vénézuéla ». Ses habitants, amis du travail et des arts, ont une vie culturelle intense, dont le centre est un Athénée bien équipé.

Le village d'Isnotu est un autre lieu touristique, berceau de José Gregorio Hernandez, « le saint des pauvres », médecin vénéré de nombreux catholiques qui ont converti ce village en un centre de pélérinage au sanctuaire qui abrite sa statue. La ville active de Valèra reçoit le visiteur sur un plateau de 547 m au-dessus du niveau de la mer. C'est la ville provinciale qui a connu la plus grande croissance et grâce à ses voies de communication aériennes avec les points importants du pays, c'est un centre social et économique important.

Près de Valèra, se trouve le petit hameau de San Rafael, site agréable et l'une des stations thermales les plus populaires du Vénézuéla.

Dans l'état de Trujillo, naquit, entre autres célébrités, Salvador Valero, peintre populaire très apprécié des vénézuéliens.

En suivant la route des Andes vers l'ouest, on trouve la province de Mérida où l'air se rafraîchit. La Sierra Nevada de Mérida la domine. Elle regroupe les plus hautes cimes du pays, couronnées par le Pic Bolivar aux neiges éternelles, qui se dresse à 5.007 m, plus haut point des Andes vénézuéliennes et du relief total du pays. Ces montagnes aux flancs desquelles se forment des glaciers géants imposent à la province majesté et silence et lui confèrent le nom de « Toit du Vénézuéla ».

Mais cette région a aussi de hautes étendues désertiques, parmi lesquelles le plateau de Mucuchíes, à plus de 4 000 m d'altitude, où poussent les « fraijelones » aux fleurs jaunes et aux feuilles velues, qui symbolisent pour la région son besoin d'abri et qui chez les hommes se traduit par le traditionnel poncho.

La province de Mérida a de grands espaces dégagés, avec des défilés, des vallées profondes et des petits hameaux pittoresques où sont cultivés, au bord des rivières, les produits agricoles de la région.

Mucuchíes est un joli village de teinte coloniale situé près de la lande du même nom. Il y a aussi Santo Domingo, niché dans une vallée, près duquel le touriste trouvera le lac de Mucubají, et, entre Mucuchíes et Santo Domingo, la Lagune Noire, toutes deux célèbres pour leurs truites abondantes, plaisir de ceux qui aiment la pêche et ce plat typique régional. Les villages de Tovar, Bailadores, Timotes et beaucoup d'autres ont aussi leur charme.

La capitale est la ville de Mérida. Elle est située sur un plateau irrigué par le Chama et l'Albarregas. Son climat est très agréable et sa situation privilégiée l'entoure de beaux paysages.

Mérida est le siège de l'Université des Andes, et une grande partie de sa vie urbaine est animée par sa population estudiantine.

La Cathédrale au centre de la ville, est un vestige colonial ; elle fut reconstruite après sa destruction par un violent tremblement de terre.

Parmi les promenades les plus attrayantes qu'offre Mérida, il y a le Parc Zoologique des Chorros de Milla, avec ses jolies chutes d'eau et les parcs admirés des habitants de Mérida : le Parc des Amoureux, le Parc des Artistes et le Parc de l'Ile, entre autres. Ils pourront également visiter ses musées, en choisissant entre le Musée d'Art Moderne et le Musée d'Art Colonial. On y trouve aussi le point de départ du plus haut téléphérique du monde, par lequel le touriste remontera les 12 km du parcours qui l'amèneront jusqu'au Pic Espejo, dans la Sierra Nevada dont le point culminant atteint 4 765 m.

La province de Tachira est la plus au nord de la région andine. Elle se caractérise par des agglomérations très actives et une géographie sillonnée de fleuves et de paysages montagneux au climat froid.

La capitale est San Cristobal, située à 825 m au-dessus du niveau de la mer. Sa population dynamique et c'est un centre d'échange commercial intense avec d'autres régions du pays, en particulier les plaines et la Colombie qui en est toute proche.

Parmi les lieux touristiques de la ville, il faut noter : le Saut de l'Indien, et la Pierre de Jorungo, beaux lieux de promenade et de camping et le centre Balnéaire de El Tambo, ainsi que sa Cathédrale coloniale. Les arènes sont les plus importantes du pays.

La ville de Rubio proche de San Cristobal, est célèbre pour ses ponts. Dans les environs, le touriste pourra visiter « La Alquitrana « (La goudronnière), lieu historique où fonctionna, en 1878, la première compagnie pétrolière du Vénézuéla, la « Petrolia ».

Outre ses beautés physiques géographiques, la région andine dispose d'une richesse culturelle et humaine. L'homme qui vit dans cette région du Vénézuéla tropical où il y a de la neige est un descendant des Timoto-Cuicas ou autres tribus indigènes qui vécurent sur ce territoire, et subirent un métissage avec les blancs espagnols. L'andin conserve, cependant, des traits ethniques essentiellement indigènes.

Le peuple andin aime les traditions et la vie simple. Son mode d'existence est rude en raison du froid intense et les exigences du travail agricole, ce qui contribue à confirmer le caractère sérieux et quelque peu hermétique qui est le propre de l'andin, tout en sachant se montrer extrêmement accueillant envers tout visiteur.

La région a une longue tradition agricole qui a ses racines dans l'époque pré-hispanique et aujourd'hui continue à être l'activité fondamentale de ses habitants. On cultive surtout des pommes de terre, le blé, le maïs, les petits pois, le café, le cacao et la canne à sucre. Dans les Andes poussent également de magnifiques fleurs aux espèces variées qui sont vendues sur les marchés et les foires.

Les coutumes et le mode de vie du peuple andin trouvent dans l'artisanat l'une de leurs principales expressions. Les beaux tissus étudiés pour protéger les hommes des intempéries sont aussi typiques de l'artisanat tel que : les ponchos, les couvertures et les chapeaux, on fabrique aussi des espadrilles, des paniers et, en céramique : des pots de maté, des plats et de grosses jarres.

Le folklore andin se manifeste surtout par des danses et des cérémonies religieuses. Parmi les plus populaires : la danse en l'honneur de San Isidro Laboureur, patron de l'agriculture, et la fête en l'honneur de San Benito dansée au son du tambour et de la flûte « chimbangalera ». La fête du Corpus Christi est très belle, elle a lieu dans tout le pays. A cette occasion on décore la Grand-Place des villes et villages d'arcs tendus auxquels pendent les produits des champs afin que ceux-ci soient bénis. A San Cristobal on célèbre la fameuse fête de San Sebastian, fête des taureaux.

A Noël, on chante et on mime des scènes de La Nativité dédiées à l'Enfant Dieu. On organise après le Nouvel An, la fête appelée « Vol, Recherche et Découverte de l'Enfant », qui commence par la recherche de la statue perdue de l'Enfant Dieu, à laquelle participe tout le village et s'achève avec l'installation de la crèche, une fois la statue retrouvée. La fête symbolique s'accompagne de danses, de chants, de poèmes, et de libations.

DIE ANDENREGION

Táchira, Mérida und Trujillo sind die drei Staaten der Andenregion, die im Westen von Venezuela liegt und 3,27% der gesamten Oberfläche des Landes ausmacht.

Der Reisende, der dieses Gebiet besucht, ist von der Vielzahl seiner landschaftlichen und kulturellen Besonderheiten überrascht.

Trujillo ist der erste Staat, den er auf seiner Reise von Osten nach Westen erreicht. Die Natur dieses Staates ist von Wäldern mit üppiger Vegetation, von sanften Tälern und einer herrlichen Bergwelt geprägt.

Die Geschichte der Stadt Trujillo erinnert an den heroischen Unabhängigkeitskrieg. Der Befreier Simón Bolívar unterzeichnete hier 1813 die historica Proklamation «Krieg oder Tod». Trujillo ist eine sehr gastfreundliche, ruhige Stadt mit einem frischen Klima. Es liegt 800 m über dem Meer. Der Staat Trujillo mit seiner landschaftlichen Vielfalt ist ein ideales Ausflugsgebiet für Touristen. Wenn der Reisende den Staat Lara betritt, nähert er sich den Kordilleren. Auf seinem Weg liegt «das Hochland von Esnujaque», ein Meisterwerk der Natur inmitten einer reichen Vegetation. Etwas weiter liegt die Stadt Boconó in einem fruchtbaren Tal, einem Garten von unvergleichlicher Schönheit, der seinen Namen «Garten von Venezuela» rechtfertigt. Seine arbeitsamen und kunstliebenden Einwohner haben ein reichhaltiges kulturelles Leben entwickelt, dessen Zentrum ein wohlausgestattetes Athenäum (Kulturzentrum) bildet.

Ein anderer Touristenort ist das Dorf Isnotú. Hier stand die Wiege von José Gregorio Hernández, dem «Heiligen der Armen», einem von zahlreichen Katholiken verehrten Arzt. Die Katholiken haben das Dorf zu einem Wallfahrtsort gemacht. Auf einem Plateau von 547 m Höhe empfängt die regsame Stadt Valera den Besucher. Von allen Städten des Staates Trujillo ist Valera am schnellsten gewachsen, und dank seiner Luftverbindung mit allen wichtigen Punkten des Landes ist die Stadt ein wichtiges soziales und ökonomisches Zentrum.

In der Nähe von Valera liegt der kleine Ort San Rafael, einer der populären Thermalbäder des Landes.

Salvador Valero, der bekannte venezolanische Maler kam, neben anderen Persönlichkeiten, im Staat Trujillo zur Welt.

Wer auf der Andenstrasse weiter nach Westen fährt, stösst auf den Staat Merida, wo das Klima kühler wird. Dafür sorgt die Sierra de Mérida. Hier liegen die höchsten Gipfel des Landes, die von dem Pico Bolívar mit seinem ewigen Schnee überragt werden. Mit 5.007 m. Höhe ist er der höchste Berg der venezolanischen Anden. Diese Berge mit ihren Gletscherseen und der erhabenen Stille haben dem Gebiet zu Recht den Namen «Dach Venezuelas» verliehen.

Der Staat hat hochgelegene «Páramos» (Hochland), zu denen die von Mucuchies in mehr als 4.000 m Höhe gehören. Hier wachsen die «fraijelones» (Grosser Mönch) mit ihren gelben Blüten und ihren haarigen Blättern, wodurch sich das diesem Gebiet eigene Schutzbedürfnis ausdrückt, wie bei den Menschen, die den Poncho tragen.

Der Staat Mérida umfasst grosse Weiten mit Engpässen, tiefeingeschnittenen Täler und kleinen malerischen Ortschaften, wo an den Bachufern die landwirtschaftlichen Produkte angebaut werden.

Mucuchies ist ein hübsches Dorf im Kolonialstil, das in der Nähe des Hochlandes (Páramo) mit gleichem Namen gelegen ist. In einem nahegelegenen Tal liegt Santo Domingo, in dessen Umgebung der Tourist die Lagune von Mucubají und-zwischen Mucuchies und Santo Domingo-die «Schwarze Lagune» findet. Beide Seen sind wegen ihres Forellenreichtums bekannt; eine Freude für Angler und Liebhaber der typischen Fischgerichte dieser Region. Die Dörfer Tovar, Bailadores, Timotes und viele andere sind ebenfalls anziehende Ortschaften.

Die Hauptstadt des Staates ist Mérida. Sie liegt auf einem von den Flüssen Chama und Albarregas bewässerten Plateau. Sie hat ein angenahmes Klima und eine bevorzugte Lage inmitten einer schönen Gebirgslandschaft.

Mérida ist der Sitz der Andenunversität und ein beträchtlicher Teil ihres Lebens ist von Studenten geprägt.

Die Kathedrale liegt im Zentrum der Stadt. Sie stammt noch aus der Kolonialzeit und wurde nach der Zerstörung durch ein heftiges Erdbeben wieder aufgebaut.

Zu den schönsten Spaziergängen der Stadt gehören der Zoologische Garten con Chorros de Milla mit seinen Wasserfällen, und eine Reihe von Parks, die von den Einwohnern Méridas geschätzt werden: der Park der Liebenden, der Künstlerpark, der Inselpark, u.a. Auch der Museumsbesucher kommt auf seine Kosten. Das Museum für Moderne Kunst und das Museum für Kolonialkunst zeigen interessante und wertvolle Kunstwerke. In der Stadt befindet sich auch die Talstation der höchsten Seilbahn der Welt, mit der der Tourist eine 12 km lange Strecke bis auf den Pico Espejo (4.765 m) in der Sierra Nevada zurücklegen kann.

Der Staat Táchira ist der nördlichste Staat der Andenregion. Hier liegen viele Ortschaften mit regem Geschäftsleben. Dieses gebirgige Gebiet wird von zahlreichen Flüssen und Bächen durchzogen und hat ein kühles Klima.

San Cristóbal in 825 m Höhe ist die Hauptstadt des Staates. Mit ihrer nicht unbedeutenden Bevölkerungszahl ist sie ein wichtiges Handelszentrum, insbesondere für die Llanos, sowie für die nahegelegene Republik Kolumbien. Unter den Sehenswürdigkeiten der Stadt sind erwähnenswert: die Indioquelle und der Felsen von Jorungo, die zu schönen Spaziergängen und zum Camping einladen und das Thermalzentrum El Tambo, sowie die Kathedrale aus der Kolonialzeit. Die Stierkampfarena gehört zu den bedeutendsten des Landes.

In der Nähe von San Cristóbal liegt die Stadt Rubio, die wegen ihrer Brücken berühmt ist. In der Umgebung kann der Tourist «La Alquitrana» (die Pechquelle) besichtigen, ein historischer Ort, wo 1878 die erste Ölgesellschaft Venezuelas, die «Petrolia», arbeitete.

Ausser ihren landschaftlichen Schönheiten verfügt die Andenregion über einen bedeutenden kulturellen Reichtum und eine Vielfalt von Menschentypen. Der Menschenschlag, welcher in dieser Gegend des tropischen Venezuelas lebt, ist ein Nachkomme der Timoto-Cuicas und anderer Eingeborenenstämme, die in diesem Gebiet gelebt haben und sich mit den weissen Spaniern vermischten. Dennoch hat der Andenbewohner wesentliche Züge der Eingeborenen bewahrt.

Das Andenvolk liebt die Tradition und das einfache Leben. Infolge der strengen Kälte und wegen der Anforderungen der Feldarbeit lebt er unter harten Existenzbedingungen. Dadurch wird sein ernster und eher verschlossener Charakter noch verstärkt. Dennoch ist er dem Besucher gegenüber äusserst gastfreundlich.

Seit der vorkolumbischen Zeit hat dieses Gebiet eine lange Tradition des Ackerbaus, die auch heute weiterhin wirtschaftliche Grundlage seiner Einwohner ist. Angebaut werden vor allem: Kartoffel, Getreide, Mais, Erbsen, Kaffee und Zuckerrohr. In den Anden wachsen viele Blumenarten, die auf den Märkten verkauft werden.

Charakter und Lebensweise der Andenbevölkerung finden ihren Hauptausdruck im Kunsthandwerk. Die schönen Stoffe, die so gearbeitet sind, dass sie den Menschen vor den Unbilden der Witterung schützen, sind eines der wichtigsten Erzeugnisse dieser Handwerkskunst. Ausser Ponchos, Decken und Bettüberwürfen werden Sandalen, Hüte, Körbe und Buchhüllen hergestellt. Man findet auch Keramikarbeiten wie Krüge, Blumentöpfe und Teller, und grosse Tongefässe der Volkskunst.

Das Brauchtum in den Anden findet ihren Ausdruck vor allem in Tänzen und religiösen Zeremonien. Zu den volkstümlichsten Veranstaltungen gehören der Tanz zu Ehren des Heiligen Isidor, dem Schutzheiligen der Feldarbeit und das Fest zu Ehren San Benitos, bei dem zum Schlag der Trommel und zum Klang der «Chimbangalera-Flöte» getanzt wird. Das Fronleichnamsfest wird im ganzen Land sehr festlich begangen. Um den Erntesegen herabzurufen, werden in Städten und Dörfern Triumphbögen errichtet, die mit Feldfrüchten geschmückt sind. In San Cristóbal wird das Fest des heiligen Sebastian, das Fest der Stiere, mit internationalen Stierkämpfen gefeiert.

Zu Weihnachten werden Weihnachtslieder gespielt und gesungen und nach Neujahr findet das Fest «Raub, Suche und Auffindung des Kindes» statt, das mit der Suche nach dem verlorengegangenen Standbild des Jesuskindes beginnt, an der sich das ganze Dorf beteiligt. Wenn die Statue gefunden ist, endet das Fest mit der Aufstellung der Krippe. Das symbolische Fest wird mit Tanz, Gesang, Gedichten und einem abschliessenden Festmahl gefeiert.

El Pico Bolívar, el más alto de los Andes Venezolanos, alcanza 5.007 m.

Cerro Bolívar, the highest peak in the Venezuelan Andes, altitude 5,007 metres.

Le Pic Bolívar, le plus haut sommet des Andes Vénézuéliennes, qui culmine à 5.007 mètres.

Der Pico Bolívar, der höchste Berg der venezolanischen Anden, gipfelt in 5.007 m Höhe.

Recogiendo flores cerca de Timotes.

Gathering flowers near Timotes.

Cueillette de fleurs près de Timotes.

Blumenpflücker in der Nähe von Timotes.

Granja andina cerca de Mucuchíes.

An Andean farm near Mucuchíes.

Ferme andine près de Mucuchíes.

Andischer Bauernhof in der Nähe von Mucuchíes.

Hotel Los Frailes, cerca de Santo Domingo.

Hotel Los Frailes, near Santo Domingo.

Hôtel Los Frailes, près de Santo Domingo.

Das Hotel Los Frailes, in der Nähe von Santo Domingo.

Profundamente arraigado en su tierra, el campesino de los Andes la trabaja como sus ancestros lo hicieron.

Deeply attached to his land, the Andean peasant farms in the traditional manner.

Profondément attaché à sa terre, le paysan andin laboure d'une manière ancestrale.

Fest mit seiner Erde verbunden, pflügt der andische Bauer noch genau so wie seine Ahnen.

El pueblo colonial de Jaji, en las alturas de Mérida.

The Colonial-style village of Jaji, on the heights of Mérida.

Le village de Jaji, de style colonial, sur les hauteurs de Mérida.

Das im Kolonialstil erbaute Dorf Jaji, auf den Höhen von Mérida gelegen.

El glaciar de Timoncitos, en el Pico Bolívar.

The Timoncitos glacier on Cerro Bolívar.

Le glacier Timoncitos au Pic Bolívar.

Der Gletscher Timoncitos am Pico Bolívar.

El Bucare y su planta parásita "Barbas Tillandsias".

The Bucare, with its parasite plant, "Barbas de Tillandsias".

Le Bucare, avec sa plante parasite "Barbas de Tillandsias".

Der Bucare mit seiner Parasiten-pflanze "Barbas de Tillandsias".

La Laguna Negra, entre Mucuchíes y Santo Domingo.

The Laguna Negra, between Mucuchíes and Santo Domingo.

La "Laguna Negra", entre Mucuchíes et Santo Domingo.

Die "Laguna Negra" zwischen Mucuchíes und Santo Domingo.

El frailejón, planta típica del páramo andino.

The Frailejón, a typical plant of the Andean Paramo.

Le "Frailejón", plante typique du "Paramo" andin.

Der "Frailejón", typische Pflanze der andischen "Paramo".

Al bajar de 3.000 m. aparece la vegetación tropical, húmeda y cálida.

Below 3,000 metres lies the hot, humid tropical forest.

Au-dessous de 3.000 m, règne la forêt tropicale, humide et chaude.

Unter 3.000 meter Höhe erstreckt sich der feuchte und warme Urwald.

Pescadores de truchas.

Trout fishers.

Pêcheurs de truites.

Forellenfischer.

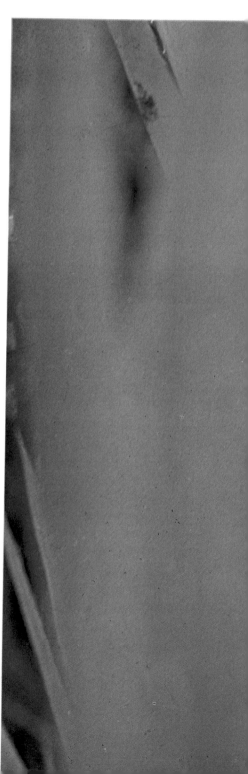

Cultivo del fique que, molido y secado, se utiliza para obtener cuerdas finas.

Cultivation of the fique; it is crushed and dried, and made into fine cords.

Culture du fique, broyé et séché, il est travaillé pour donner de fines cordelettes.

Hier wird der "Fique" angepflanzt; zerstampft und getrocknet wird er zu dünnen Schnüren verarbeitet.

"Pavo real con flores modernas"

"Peacock with modern flowers"

"Paon parmi les fleurs modernes"

"Pfau inmitten moderner Blumen"

Tapíz Guajiro realizado a mano por la mundialmente famosa artista indígena "Tere".

A totally handmade Guajiro Tapestry designed by "Tere", world famous indian artist.

Tapis Guajiro réalisé à la main, conçu par le célèbre artiste indien "Tere".

Vom bekannten indianischen Künstler "Tere" handgeknüpfter Guajiro-Teppich.

REGION OCCIDENTAL

La región occidental del país abarca los Estados Zulia, Lara, Falcón y Yaracuy.

El Estado Zulia es uno de los más importantes de Venezuela. Colinda el norte con el mar Caribe, y al oeste con Colombia, de la cual la separa la Sierra de Perijá. Cubre un área de 63.100 Kms.^{2} y la mayor parte de sus 1.500.000 habitantes, viven en Maracaibo, capital del Estado y segunda ciudad de Venezuela.

En esta tierra de intensos contrastes que es Venezuela, el viajero que apenas ha dejado atrás el clima templado de los Andes, se encuentra en el intenso calor de Maracaibo, cuya temperatura media es de 28°C.

Esta ciudad se sitúa en la confluencia del Lago de Maracaibo y el Golfo de Venezuela. Su historia está muy unida a la historia del Lago, el más grande de la América del Sur, llamado por los indios "Coquivacoa". En él se encuentra gran parte de los depósitos de petróleo de Venezuela. Desde que comenzó la explotación de petróleo en esta región, con el descubrimiento del célebre Pozo Barroso No. 2, la ciudad ha sido el epicentro del boom petrolero que cambió radicalmente la fisonomía política y económica del país.

Hoy Maracaibo es una próspera y moderna ciudad, en donde el turista se impresionará a la vista de un bosque de torres de acero que se elevan sobre la superficie del Lago, atravesado por el Puente Rafael Urdaneta, de 8 Kms. de longitud. A sus orillas se mantienen aún los palafitos, viviendas indígenas enclavadas en las aguas encima de largas estacas. A ellas debe Venezuela su nombre, cuando el conquistador Alonso de Ojeda las vio en 1492, y le recordaron la ciudad de Venecia (Venezuela: Pequeña Venecia).

La ciudad es sede de la Universidad del Zulia, cuya Facultad de Medicina es mundialmente conocida por los exitosos transplantes de riñón en ella realizados.

Los zulianos aman su Estado y se sienten sumamente orgullosos de él. Sus poetas llaman al Zulia "Tierra del Sol Amada", rindiendo así tributo a sus hermosos atardeceres. En las noches zulianas, el cielo se cubre de un relámpago que brilla y se apaga continuamente, fenómeno atmosférico éste, aún no explicado por la ciencia. Lo han llamado "El Relámpago del Catatumbo", como alegoría del poderoso Río Catatumbo, uno de los que desembocan en el Lago de Maracaibo nutriéndolo de agua dulce.

El Zulia, productor del 75% del petróleo nacional es también importante por su producción agropecuaria y la gran cantidad de ríos aluvionales que van a dar al Lago, hacen sus costas muy fértiles para la agricultura.

Desde Maracaibo, el visitante puede adentrarse en la Península de la Goajira, situada al oeste, en el límite con Colombia. Es una región seca y estéril en la que sus habitantes, los indios Goajiros, se dedican preferentemente a la cría y a la elaboración de artesanía.

En el corazón de la Goajira se encuentra la Laguna de Sinamaica, con sus árboles de manglares, palafitos indígenas y gran riqueza en flora y fauna, admirables desde el Parador Turístico que se levanta sobre palafitos en la propia laguna.

La Goajira es un mundo rico en enigmas y tradiciones que sus habitantes plasman en una artesanía de extraordinaria explosión de diseños y colores, los cuales contrastan con la aridez de la tierra. Entre estas obras de arte se encuentra la "manta goajira". Atuendo tan típico como el poncho andino, es una bata ancha y ligera que usan las mujeres goajiras. Producto de la más elaborada artesanía de la región son los tapices goajiros, hoy mundialmente conocidos. Esta especial artesanía indígena podrá adquirirla el turista en los mercados típicos, como el de "Los Filudos", a donde todos los lunes concurren los habitantes a exponerla a la venta.

Conserva también la Goajira lugares de interés histórico como el Castillo de San Carlos y el Castillete de Zapata, levantados durante la Colonia para impedor la invasión de piratas.

El Zulia es una región donde se combinan la admirable labor de la tecnología petrolera, símbolo del desarrollo del país, con las culturas indígenas que pueblan la Goajira y la Sierra de Perijá. Mientras que los indios de la Goajira se han adaptado en buena medida a la civilización, los Motilones, de la Sierra de Perijá, se aferran celosamente a su milenario sistema de vida, manteniendo rasgos como la compra de mujeres para el matrimonio y la venganza de familia. Los Motilones son trabajadores y alegres, amantes de las fiestas, el canto y el baile.

Es la Sierra de Perijá el conjunto de impresionantes montañas, de más de 3.000 m., surcados por caudalosos ríos y extensos valles. Su extremo norte, colindante con Colombia, ha sido declarado Parque Nacional, con el objeto de resguardar su abundante flora y fauna.

Los zulianos son hombres extrovertidos, amantes de ferias y fiestas y músicos especialmente dotados. La "Gaita Zuliana", con su contenido social y pegajoso ritmo es una expresión del folklore zuliano que, a pesar de su poco caracter religioso, desplaza a menudo los tradicionales aguinaldos en las fiestas navideñas venezolanas. La letra de las gaitas se acompaña con música de tambores, furrucos, cuatros y charrascas.

La feria más popular es de La Chinita, celebrada en honor de la Vírgen de la Chiquinquirá, Patrona de Maracaibo. Reúne música, gaitas, verbenas, bailes, corridas de toros y eventos deportivos en una fiesta monumental que envuelve al Zulia y a millares de turistas venezolanos y extranjeros que acuden a disfrutar de su alegría. Se celebra del 14 al 18 de noviembre.

Uno de los bailes típicos es el Chichamaya, baile ritual de la Goajira que se acompaña con tambores. Y al igual que en la región andina, se celebra el Baile de San Benito, de origen africano.

La cordillera de los Andes termina en los límites del Estado Trujillo con el Estado Lara. Sus ramificaciones se convierten en una extensa altiplanicie, llamada "Altiplanicie Larense", la cual cubre buena parte del territorio del Estado Lara. En la parte este del Estado nace el tramo central de la cordillera de la Costa, mientras que en la parte norte se encuentra el Sistema Coriano, conjunto de cerros y serranías de poca elevación que se extiende por los territorios de Lara y Falcón.

Esta variada topografía le confiere a la región características muy peculiares. Tiene una extensa zona de clima muy caluroso y tierras áridas, donde abundan las tunas, cardones, cujíes, agaves y cocuizas y se crían grandes rebaños de cabras y ovejas; entre las zonas más áridas, están la Depresión de Carora y la de Yaritagua. También tiene zonas boscosas de extensas sabanas buenas para la agricultura, en especial para el cultivo de la caña de azúcar.

La capital del Estado es la ciudad de Barquisimeto, nombre indígena que significa "río con aguas de color ceniza". Tiene una densa población y agradable temperatura. Barquisimeto es una ciudad clave en el occidente venezolano al ser centro de confluencia de numerosas vías de comunicación hacia las principales regiones del país, por lo cual posee un intenso tráfico comercial. Es conocida en todo el país como la "Ciudad de los Crepúsculos", por sus hermosos atardeceres. Es barquisimetano el conocido escritor venezolano Salvador Garmendia, llamado con toda justeza "Cónsul de la literatura venezolana en el Boom latinoamericano".

Entre los lugares turísticos de Barquisimeto están dos modernas edificaciones: La Catedral y El Obelisco, monumento conmemorativo de los 400 años de Barquisimeto, que ofrece al turista, desde sus 70 m. de altura, una amplia panorámica de toda la ciudad.

Otra de las importantes poblaciones del Estado, es el Tocuyo, una de las más antiguas ciudades de Venezuela, desde la cual, en la época de la Conquista partieron numerosas expediciones a otros puntos del país. En 1950 fue destruída por un terremoto y reconstruída posteriormente.

El folklore del Estado Lara tiene como principal fiesta "El Tamunangue", celebrada en honor a San Benito. Es un hermoso baile de galanteo, que comprende varios sones. Anualmente se realiza en Barquisimeto la "Feria de la Divina Pastora", Patrona de la ciudad.

De la fibra de cocuiza, planta de grandes hojas, se elabora una variada artesanía: sacos, mecates, alpargatas y chinchorros. Con la lana de las ovejas se fabrican las famosas "cobijas quiboreñas". Los muebles de madera y cuero de chivo, así como las bellas cerámicas de terracota y el cuatro caroreño, de gran calidad son algunas otras de las expresiones artesanales de la región. De la mata de cocuy (agave cociú), muy abundante en el Estado, se extrae un aguardiente que recibe el mismo nombre.

Al norte de Lara, con una extensa costa en el mar Caribe, se encuentra el Estado Falcón.

Las costas de Falcón son tierras áridas y arenosas, de buenas playas, con vegetación predominantemente xerófila. Unos kilómetros más adentro se encuentran frescas montañas y fértiles valles.

Lo más característico de Falcón es su Península de Paraguaná, la cual se alza desde el centro del Estado, adentrándose en el mar Caribe. La Península de una gran belleza natural en playas es semi-desértica. Entre las playas más hermosas de Falcón están Tucacas, Chichiriviche y Morrocoy.

El Parque Nacional de Morrocoy es una región de laberintos, lagunas y canales marinos cercados por mangles, plantas muy resistentes que pueden asentar sus raíces en suelo marino. Tiene hermosos arrecifes coralinos y una variada fauna en aves marinas, en especial garzas, gaviotas y tijeretas. Se han hecho esfuerzos por preservar esta importante zona natural.

Una de sus grandes atracciones turísticas son "Los Médanos de Coro", pequeños desiertos o colinas de arena, que cambian de forma con el viento. Cubren más de 80 Kms.^{2}.

El principal producto del Estado es el petróleo, encontrándose en Falcón las dos refinerías más importantes del país: la de Punta Cardón y la de Amuay. Otros productos son el algodón, sal, caña de azúcar y tabaco, y en sus tierras se crían grandes rebaños de chivos. Falcón es también rico en pesca, sobre todo de camarón.

Coro es la ciudad colonial por excelencia del país. Sus casas, de grandes ventanales, con rejas, sus calles empedradas, las plazas, una hermosa Catedral y numerosas edificaciones coloniales, hacen de ella una reliquia histórica.

La población actual de Falcón es el resultado del encuentro de diversas vertientes sociales que se han ido fundiendo poco a poco. Ello se debe a que, gracias a su posición frente al mar Caribe, a sus costas han llegado diversos grupos, entre ellos franceses, hebreos y pobladores de las islas del Caribe.

Esta población de peculiares rasgos, se expresa con gran intensidad en los "Polos Corianos", canciones cuya letra usualmente habla de temas filosóficos: la vida del hombre, su transitoriedad sobre la tierra, la muerte...

Entre sus fiestas está la dedicada a San Isidro Labrador, patrono de las cosechas, y el "Baile de los Turas", también dedicado a la agricultura y originario de los grupos indígenas que poblaron el Estado.

En Falcón se elaboran, con técnicas muy tradicionales, bellas cerámicas, vajillas, platos de barro y muebles confeccionados con cuero de chivo.

Al suroeste de Falcón y al este del Estado Lara, se encuentra el cuarto Estado comprendido en la región occidental de Venezuela: el Estado Yaracuy, que debe su nombre al célebre cacique indio Yaracuy quien vivió en estas tierras. Está formado en su casi totalidad por dos grandes valles: el valle del Río Aroa y el valle del Río Yaracuy. Ello hace que el conjunto de sus tierras sea sumamente fértil para el cultivo, siendo predominante el de caña de azúcar. También es abundante la cría de ganado, en especial del tipo "cebú".
cial del tipo "cebú".

La capital del Estado, San Felipe, ofrece al turista bellas construcciones coloniales entre las que destaca el Museo de San Felipe, el Fuerte, situado en el Parque del mismo nombre. La Catedral de San Felipe, contrasta grandemente con estas construcciones, por su moderna arquitectura.

La única línea de ferrocarril existente en Venezuela, que parte de Barquisimeto tiene una de sus estaciones en esta ciudad.

La mayor atracción turística de Yaracuy es el importante culto a Maria Lionza, Diosa de las Montañas y del Amor, cuyo origen se remonta a la época indígena. Es un culto muy complejo, de caracter místico, el cual expresa cabalmente la idiosincracia del pueblo venezolano. Se realiza en las montañas de Sorte, que surgen sorpresivamente en el centro de una región de llanuras cultivadas con caña de azúcar. Estas hermosas montañas presentan una infinidad de altares naturales, manantiales y una vegetación de grandes árboles.

THE WESTERN REGION

The Western region of the country comprises the States of Zulia, Lara, Falcon and Yaracuy.

The State of Zulia is one of the biggest in Venezuela, covering an area of 63,100 square kilometres. It is bounded to the North by the Caribbean Sea and to the West by Colombia, from which it is separated by the Sierra de Perija. Most of its 1,500,000 inhabitants live in Maracaibo, the capital of the State and the second city of Venezuela.

Venezuela has often been described as a land of contrasts, and this is indeed true in more than one respect. Scarcely has the traveller left behind the temperate climate of the Andes than he finds himself in the intense heat of Maracaibo, where the mean temperature is 28°C.

The city is situated at the confluence of Lake Maracaibo and the Gulf of Venezuela. Its history is very closely linked with that of the lake, which is the largest in South America and is called Coquivacoa by the Indians. It contains a large part of Venezuela's oil reserves. Since oil began to be extracted in this region, when the celebrated Pozo Barroso No. 2 was discovered, the city has been the epicentre of the oil boom which has transformed the political and economic face of the country.

Today, Maracaibo is a flourishing modern city; the tourist cannot fail to be impressed by the forest of derricks emerging from the lake, which is crossed by the Rafael Urdaneta Bridge, 8 kilometres long. Along the shores of the lake stand native dwellings built on tall piles, called *palafittes*. It is to them that Venezuela owes its name; when the conquistador Alonso de Ojeda saw them in 1492, they reminded him of Venice (Venezuela means Little Venice in Spanish).

The University of Zulia is located in the city; its medical faculty is renowned throughout the world for the successful kidney transplants that have been performed there.

The inhabitants of Zulia are very proud of their State. Poets call it the "land beloved of the sun", in tribute to its beautiful sunsets. At night, the sky is intermittently lit by a flashing light - an atmospheric phenomenon which has not yet been scientifically explained. It is called the "Catatumbo lightning" after the great river Catatumbo, one of those flowing into Lake Maracaibo.

Zulia produces 75% of Venezuela's oil, and also plays an important part in the national economy in respect of its agricultural and livestock production; the many rivers which flow into the lake bring down alluvial deposits and make the shores extremely fertile.

From Maracaibo, the visitor can explore the Guajira peninsula, to the West, near the frontier of Colombia. This is a very dry region where few crops are cultivated; its inhabitants, the Guajiros Indians, are engaged mainly in livestock farming and hand crafts.

In the heart of the Guajira peninsula lies the Sinamaica Lagoon with its marshland and pile dwellings and its wealth of flora and fauna which can be observed from the parador built on piles in the middle of the lagoon.

The Guajira is an area rich in enigmas and traditions which its inhabitants keep alive in craftwares featuring an extraordinary explosion of designs and colours contrasting sharply with the aridity of the earth. Among them is the *robe guajira*, an article of clothing as typical as the Andean poncho; it is a loose-fitting, lightweight robe worn by the Guajira women. Guajiros carpets are another local craftware specialty; they are very carefully made, and are nowadays well known throughout the world. These items can be purchased in the typical native markets like the one at Los Filudos, held every Monday.

The Guajira also boasts places of historical interest like the statue of San Carlos and the Zapata manor house, built in Colonial times to repulse landing parties of pirates.

In Zulia, the admirable achievements of petroleum technology, symbolizing the development of the country, contrast with native farms in the Guajira and the Sierra de Perija. While the Indians of the Guajira have adapted to civilization without difficulty, the Motilones in the Sierra de Perija still cling to their centuries-old life-style which includes such customs as family vendettas and the purchase of brides. The Motilones are gay, hard-working people, fond of festivals, singing and dancing.

The Sierra de Perija is a range of impressive mountains rising to a height of more than 3,000 metres, crisscrossed by strongly flowing rivers and extensive valleys. Its extreme North, adjacent to Colombia, has been made a National Park where the abundant flora and fauna are protected.

The inhabitants of Zulia are extroverts; they love fêtes and celebrations, and are gifted musicians. The Zulian 'gaita' is part of the local folklore, which despite the fact that it has little religious content, frequently replaces the traditional 'aguinaldos', typical songs in Venezuelan Christmas festivities. The music of the 'gaitas' is accompanied by drums, furrucos cuatros (fourstringed guitars) and charrascas.

The most popular festival is that of the Chinita, celebrated in honour of the Virgin of Chiquinquira, the patron saint of Maracaibo. It features 'gaita' music, nocturnal fêtes, balls, bullfights, and sporting events. This festival is held from 14 to 18 November, and draws large crowds from all over Zulia, as well as thousands of Venezuelan and foreign tourists.

One of the typical dances is the Chichamaya, a ritual dance of the Guajira accompanied by drums. And as in the region of the Andes, we find the dance of San Benito, which is of African origin.

The Cordillera of the Andes ends at the boundary of the State of Trujillo and the State of Lara. At this point it becomes an extensive plateau, called the Larense Plain, covering a large part of the State of Lara. In the East of the State, the central part of the coastal mountain range begins, while in the North we find the Coriano System, a series of hills and low mountains extending over the territories of Lara and Falcon.

This topographic diversity gives the region very special characteristics. There is a large area with a hot climate and arid soil, abounding in opuntias, thistles, acacias, agaves and sisal. Large herds of goats and sheep are raised. The Carora depression and the Yaritagua depression are among the most arid zones, there are also wooded areas, and extensive savannahs suitable for the cultivation of crops, especially sugar cane.

The capital of the State is the city of Barquisimeto, a native name meaning "a river with ash-coloured waters". It is densely populated and enjoys a pleasant temperature. Barquisimeto is a key city in Western Venezuela, because it lies at the junction of many lines of communication with the principal regions of the country. This makes it a busy trading centre. It is known throughout Venezuela as the "twilight city" because of the beauty of its sunsets. The well-known Venezuelan writer, Salvador Garmendia, is a native of Barquisimeto; he is deservedly called the "consul of Venezuelan literature of the Latin-America boom".

Among Barquisimeto's tourist attractions are two modern buildings, the Cathedral and the Obelisk; this is a monument commemorating Barquisimeto's four hundred years of existence, and from its top, 70 metres above the ground, a view over the whole city can be enjoyed.

Another important town in this State is El Tocuyo, one of the oldest towns in Venezuela. It was from here that many expeditions to other parts of the country were made at the time of the conquest. In 1950, El Tocuyo was destroyed by an earthquake and has subsequently been rebuilt.

The major folklore attraction of the State of Lara is the Tamunangue, which honours San Benito. It is an attractive dance comprising numerous figures. Every year, the Fête of the Divine Shepherdess, the patron saint of the town, is held in Barquisimeto.

Agave is a broad-leafed plant from whose fibre various craftwares are made: bags, rope, rope-soled shoes and hammocks. The well-known Quibor blankets are made from the wool of the local sheep. Other craftwares of the region include furniture made of wood or goat's hide, fine terracotta ceramic articles, and small but finely made Carora guitars. From the stem of the agave, which abounds throughout the State, is distilled a spirit called cocuy.

To the North of Lara lies the State of Falcon, a large part of which has a Caribbean coastline.

The coastal area of Falcon is arid and sandy; there are splendid beaches, and the vegetation is mainly xerophilous. A few kilometres inland lie cool mountains and fertile valleys.

The most characteristic feature of Falcon is the peninsula of Paraguana, which begins in the centre of the State and advances towards the Caribbean. It is semi-desert, but boasts beautiful beaches, notably those of Tucacas, Cichiriviche and Morrocoy.

The National Park of Morrocoy is a labyrinthine region of lagoons and salt water channels surrounded by mangroves, resistant plants which flourish in a marine soil. There are fine coral reefs and a variety of marine birds, especially herons, gulls and cormorants. Efforts have been made to preserve this important natural zone.

One of the major tourist attractions are the Dunes of Coro, small sand hills which change shape under the effect of the wind. They cover more than 80 square kilometres. The principal product of this State is oil; Falcon has the two biggest refineries in the country, at Punta Cardon and Amuay. Here too we find cotton, salt, sugar cane and tobacco; large herds of goats are raised, and there is a great deal of seafood, especially shrimps.

Coro is a typical colonial town, rich in reminders of the past: its houses with large windows covered with ornate gratings, cobblestone streets, attractive squares, a fine cathedral and numerous colonial buildings.

The present population of Falcon is a blend of people of several different origins who have gradually merged. This is because, thanks to its position facing the Caribbean Sea, various ethnic groups have in the course of time landed on the coast - among them French people, Jews and Caribbean natives.

This distinctive population expresses itself through the "popular airs of Coro", songs whose words range over philosophical themes such as man's life, his death, and so on.

One of the local fêtes is dedicated to Saint Isidor, the farm labourer, patron saint of harvests. Then there is the "dance of durations", also dedicated to agriculture; it originated among the native groups who peopled the State.

Fine ceramics, tableware, earthenware dishes and goatskin furniture are made in Falcon by traditional methods.

The fourth State located in the Western region of Venezuela is Yaracuy; it lies to the South-West of Falcon and to the East of Lara. It owes its name to the celebrated Indian chief Yaracuy, who lived in this area.

Almost all the State consists of two large valleys: the valley of the River Aroa and the valley of the Yaracuy. Its soil is consequently fertile, sugar cane being the main crop. Livestock farming is also important, especially zebus.

The capital of the State, San Felipe, boasts some splendid Colonial buildings, among them the museum of San Felipe, located in the park of the same name. The modern architecture of the Cathedral of San Felipe contrasts sharply with these buildings.

This town is a stopping point on Venezuela's only railway line, which starts from Barquisimeto.

The major tourist attraction of Yaracuy is the worship of Maria Lionza, goddess of mountains and love. It is a highly complex and mystic cult which perfectly reflects the idiosyncrasy of the Venezuelan people. It is celebrated in the mountains of Sorte, which rise from the centre of a region of plains planted with sugar cane. These beautiful mountains rise up in natural steps and feature springs and tall trees.

REGION OCCIDENTALE

La région occidentale du pays comprend les provinces de Zulia, Lara, Falcon et Yaracuy.

La province du Zulia est l'une des plus importantes du Vénézuéla. Elle est limitée au nord par la mer des Caraïbes et à l'ouest par la Colombie dont elle est séparée par la Sierra de Perija. Elle couvre une superficie de 63.100 km². La majeure partie de ses 1.500.000 habitants vit à Maracaibo, capitale provinciale et deuxième ville du Vénézuéla.

On a dit et redit aux touristes que le Vénézuéla était une terre de contrastes : dès que le voyageur à laissé derrière lui le climat tempéré des Andes, il se trouve plongé dans la chaleur dense de Maracaibo, dont la température moyenne est de 28° C.

Cette ville se situe à la confluence du Lac de Maracaibo et du Golfe du Vénézuéla. Son histoire est très liée à celle du lac, le plus grand d'Amérique du Sud, appelé par les indiens « Coquivacoa ». Il possède une grande partie des gisements de pétrole du Vénézuéla. Depuis le commencement de l'exploitation du pétrole dans cette région, avec la découverte du célèbre « Pozo Barroso » (Puits Boueux) N° 2, cette ville a été le centre du boom pétrolier qui transforma la physionomie politique et économique du pays.

Aujourd'hui Maracaibo est une ville prospère et moderne où le touriste sera impressionné par la forêt de derricks s'élevant au-dessus du lac lui-même traversé par le pont Rafael Urdaneta, long de 8 km. Sur ces rives se dressent encore les « palafitos », demeures indigènes enclavées dans les eaux soutenues par de longs pilotis. C'est à elles que le Vénézuéla doit son nom, lorsque le conquérant Alonso de Ojeda les vit en 1492. Elles lui rappelèrent la ville de Venise (Vénézuéla : Petite Venise).

La ville est le siège de l'Université du Zulia, dont la Faculté de Médecine est mondialement connue pour les transplantations de reins que l'on y pratique couramment.

Les habitants du Zulia aiment leur province et en sont très fiers. Ses poètes l'appellent « Terre aimée du Soleil », rendant ainsi hommage à ses beaux couchers de soleil. La nuit, le ciel est zébré par un éclair qui s'allume et s'éteint en permanence, phénomène atmosphérique qui n'a pas encore été expliqué par la science, on l'appelle « L'Éclair du Catatumbo », allusion au puissant fleuve Catatumbo, l'un de ceux qui se jette dans le lac de Maracaibo.

Le Zulia, producteur de 75 % du pétrole national joue également un rôle important dans l'économie nationale par sa production agricole et son élevage, dont la prospérité est liée à l'exceptionnelle fertilité des sols.

De Maracaibo, le visiteur pénètre dans la péninsule de la Guajira, située à l'ouest, à la limite de la Colombie. C'est une région d'une grande sécheresse et peu cultivée dont les habitants, les indiens Guajiros, se consacrent principalement à l'élevage et à l'artisanat.

Au cœur de la Guajira s'étend la Lagune de Sinamaica, avec ses palétuviers, ses maisons sur pilotis, la richesse de sa flore et sa faune, admirables à découvrir depuis le Parador Touristique qui s'élève sur pilotis au cœur du lac.

La Guajira est un monde riche en énigmes et traditions que ses habitants font revivre dans un artisanat qui témoigne d'une extraordinaire explosion de dessins et de couleurs, lesquels par leur exubérance contrastent avec l'aridité de la terre. Parmi ces œuvres d'art, on trouve la robe « guajira ». Vêtement aussi typique que le poncho des Andes, c'est une robe ample et légère que portent les femmes guajiras. Les tapis guajiros sont le produit de l'artisanat de la région le plus travaillé : ils sont aujourd'hui mondialement connus. Le touriste pourra acquérir cet artisanat local sur les marchés typiques, comme celui de « Los Filudos », où se rendent les indigènes tous les lundis pour attendre les acquéreurs éventuels.

La Guajira conserve aussi des lieux d'intérêt historique comme le château de San Carlos et le manoir de Zapata, construits au temps de la Colonie pour repousser l'invasion des pirates.

Le Zulia est une région où se combinent la main d'œuvre spécialisée de la technologie pétrolière, symbole du développement du pays, et les cultures indigènes qui peuplent la Guajira et la Sierra de Perija. Tandis que les indiens de la Guajira se sont adaptés sans problèmes à la civilisation, les Motilones, de la Sierra de Perija, gardent jalousement leur mode de vie millénaire, et maintiennent des coutumes comme l'achat des femmes pour le mariage et la vendetta. Les Motilones sont travailleurs et gais, aimant les fêtes, le chant et la danse.

La Sierra de Perija est un ensemble de montagnes impressionnantes, plus de 3 000 m, sillonnées de puissantes rivières et de vallées étendues. Son extrême nord, mitoyen avec la Colombie, a été déclaré parc national, dans le but de préserver sa flore et sa faune abondantes.

Les habitants de la région de Zulia sont des gens avenants, aimant les foires et les fêtes et sont des musiciens spécialement doués. Le « Gaila Zuliana », avec son contenu social et son rythme contagieux est une expression du folklore du Zulia qui, malgré son caractère peu religieux, remplace fréquemment les traditionnelles villanelles dans les fêtes de Noël vénézuéliennes. Les airs de Gaila s'accompagnent de tambours, de zambombas, de furrucos (guitare à quatre cordes) et charrascas.

La fête la plus populaire est celle de la Chinita, célébrée en l'honneur de la Vierge de la Chiquinquira, patronne de Maracaibo. Elle réunit musique, binious, fêtes nocturnes, bals, courses de taureaux et événements sportifs dans une liesse générale qui s'empare du Zulia et des milliers de touristes vénézuéliens et étrangers qui accourent pour vivre ces réjouissances. Elle a lieu du 14 au 18 novembre chaque année.

L'une des danses typiques est la Chichamaya, danse rituelle de la Guajira, accompagnée de tambours. Et comme dans la région andine, on retrouve la danse de San Benito, d'origine africaine.

La cordillère des Andes décline à la frontière de la province Trujillo et de la province Lara. Ses prolongements se convertissent en un plateau étendu appelé « Plaine Larense » qui s'étend sur une bonne partie du territoire de la province de Lara. Dans l'est naît la partie centrale de la chaîne côtière, tandis que dans le nord on trouve le système Coriano, ensemble de collines et de massifs peu élevés qui s'étend sur les territoires de Lara et de Falcon.

Cette variété topographique confère à la région des caractéristiques très particulières. Une zone très étendue jouit d'un climat très chaud et de terres arides où abondent les figuiers de barbarie, les chardons, les cassies, agaves et sisals et l'on y élève de grands troupeaux de chèvres et de brebis. La dépression de Carora et celle de Yaritagua sont parmi les zones les plus arides ; il y a également des zones boisées, des savanes étendues, favorables à l'agriculture, spécialement la canne à sucre.

La capitale de la province est la ville de Barquisimeto, nom indigène qui signifie « fleuve aux eaux couleur de cendre ». Elle a une population dense et jouit d'une température agréable. Barquisimeto est une ville clé dans l'occident vénézuélien car elle est le centre de nombreuses voies de communication vers les principales régions du pays, c'est pourquoi elle connaît un intense trafic commercial. Elle est connue dans tout le pays comme la « ville des Crépuscules », pour la beauté de ses couchants. Salvador Garmendia, l'écrivain vénézuélien réputé, est de Barquisimeto. On l'appelle à juste titre, le « Consul de la littérature vénézuélienne du boom latino-américain ».

Parmi les lieux touristiques de Barquisimeto, deux constructions modernes : La Cathédrale et l'Obélisque, monument commémoratif des 400 ans de Barquisimeto, qui offre au touriste, du haut de ses 70 mètres, une vision panoramique de toute la ville.

Une autre ville parmi les plus importantes de la région : El Tocuyo, l'une des plus anciennes villes du Vénézuéla, d'où partirent, à l'époque de la Conquête, de nombreuses expéditions vers d'autres points du pays. En 1950, elle fut détruite par un tremblement de terre et reconstruite.

La fête principale du folklore de l'Etat de Lara est le « Tamunang », célébrée en l'honneur de San Benito. C'est une gracieuse danse de séduction qui comprend de nombreuses figures. Tous les ans, a lieu à Barquisimeto la « Fête de la Divine Bergère », patronne de la ville.

Avec la fibre d'agaye, plante à grandes feuilles, on fabrique : sacs, cordes espadrilles et hamacs et avec la laine des brebis, les fameuses « couvertures de Quibor ». Les meubles en bois et en cuir de bouc, les belles céramiques de terre cuite, les petites guitares de Carora, le tout de belle qualité, sont d'autres expressions artisanales de la région. Du pied de l'agave, plante très abondante dans la région, on extrait une eau de vie appelée cocuy.

Au nord de Lara, se trouve la province de Falcon dont une grande partie longe la mer des Caraïbes.

Les côtes du Falcon sont des terres arides et sablonneuses, avec de belles plages et une végétation à prédominance xérophile. Plus à l'intérieur, on trouve la fraîcheur des montagnes et des vallées fertiles.

Le site le plus coté du Falcon, est la Péninsule de Paraguana qui s'élève depuis le centre de la province jusque dans la mer des Caraïbes. La Péninsule, d'une grande beauté naturelle est riche en plages semi-désertiques. Les plus belles plages sont celles de Tucacas, Chichiriviche et Morrocoy.

Le Parc National de Morrocoy est une région de labyrinthes, de lagunes et de canaux marins entourés de palétuviers ; ces plantes résistantes peuvent s'enraciner dans le sol marin. Il possède de beaux récifs coraliens, une faune variée d'oiseaux marins : des hérons, des mouettes et des cormorans. Des efforts ont été faits pour préserver cette importante zone naturelle.

Les « Dunes de Coro », petits déserts ou collines de sable qui changent de forme selon le vent sont l'une de ses grandes attractions touristiques. Elles couvrent plus de 80 km².

Le pétrole est la principale richesse du pays et l'on trouve dans le Falcon les deux raffineries les plus importantes : celle de Punta Cardon et celle de Amuay. On y trouve également du coton, du sel, de la canne à sucre et du tabac, de plus on y élève de grands troupeaux de boucs. La pêche y est abondante, surtout en crevettes.

Coro est la ville coloniale par excellence, de plus ses maisons aux grandes fenêtres ornées de grilles, ses rues pavées, les places, une belle cathédrale et de nombreux bâtiments coloniaux en font une ville d'allure ancienne.

La population actuelle du Falcon est le résultat d'un brassage de peuples différents. Car, situé face à la mer des Caraïbes, plusieurs ethnies ont débarquées sur ses côtes, notamment des français, des juifs et les indigènes des Iles.

Cette population aux traits particuliers s'exprime avec une grande intensité dans les « airs populaires de Coro », qui évoquent habituellement des thèmes philosophiques tel que la vie de l'homme, son passage sur la terre, la mort...

Parmi les fêtes, il y a celle de Saint Isidore Laboureur, patron des récoltes, et la « danse des Turas », également consacrée à l'agriculture. Elle est d'origine indigène.

Dans le Falcon, on fabrique avec des techniques traditionnelles, de belles céramiques, de la vaisselle, des plats en terre et des meubles en cuir de bouc.

La quatrième province de la région occidentale du Vénézuéla, se trouve au sud-ouest du Falcon et à l'est de la province de Lara, c'est le Yaracuy ; elle doit son nom au célèbre cacique indien Yaracuy qui vécut sur ces terres.

Cette province est formée dans sa quasi totalité par deux grandes vallées : la vallée du fleuve Aroa et la vallée du Yaracuy. Ses terres sont donc très fertiles, on y cultive principalement la canne à sucre. L'élevage du bétail est également important, surtout celui du zébu.

La capitale de la province, San Felipe, offre au touriste de belles constructions coloniales parmi lesquelles on remarque le « Musée de Saint Philippe le Fort », situé dans le parc du même nom. La cathédrale de Saint Philippe, contraste curieusement avec ces constructions, par son architecture moderne.

L'unique ligne de chemin de fer qui existe au Vénézuéla, et qui part de Barquisimeto a une de ses gares dans cette ville.

La plus grande attraction touristique du Yaracuy est le culte voué à Maria Lionza, déesse des Montagnes et de l'Amour. Son origine remonte à l'époque très ancienne où il n'y avait pas eu d'apports immigrants. C'est un culte très complexe, à caractère mystique, et qui exprime parfaitement l'idiosyncrasie du peuple vénézuélien. Il se célèbre dans les montagnes de Sorte qui s'élèvent au centre d'une région de plaines plantées de canne à sucre. Ces belles montagnes présentent une infinité de gradins naturels, de sources et une végétation de grands arbres.

DIE WESTREGION

Im Westen des Landes liegen die Bundesstaaten Zulia, Lara, Falcón, und Yaracuy. Zulia ist eine der wichtigsten Provinzen Venezuelas. Im Norden reicht sie bis ans Karibische Meer, und im Westen grenzt sie an Kolumbien, von dem sie durch die Sierra de Perijá getrennt ist. Sie umfasst eine Fläche von 63.100 qkm. Die Mehrzahl ihrer 1.500.000 Bewohner lebt in der Provinzhauptstadt Maracaibo, der zweitgrössten Stadt des Landes.

Der Tourist bekommt immer wieder zu hören, dass Venezuela ein Land der Kontraste sei: kaum hat der Reisende das gemässigte Klima der Anden hinter sich gelassen, so schlägt ihm schon die schwüle Hitze Maracaibos entgegen, wo die mittlere Tagestemperatur 28° beträgt.

Die Stadt liegt an der Stelle, wo der Maracaibosee in den Golf von Venezuela übergeht. Ihre Geschichte ist eng mit der dieses grössten südamerikanischen Sees verbunden, den die Indianer «Coquivacoa» genannt haben. In ihm liegen die grössten Erdöllager Venezuelas. Seit Beginn der Nutzung der Erdölvorkommen dieses Gebietes, und zumal seit dem Fündigwerden des berühmten «Pozo Barroso» (schlammiges Bohrloch) Nr. 2, ist die Stadt zum Zentrum des Ölbooms geworden, der einen politischen und wirtschaftlichen Strukturwandel des Landes mit sich brachte.

Maracaibo ist heute eine moderne, pulsierende Stadt, die den Touristen durch einen Wald von Bohrtürmen beeindruckt, die aus dem See aufragen. Über den See führt die 8 km lange General Rafael Urdaneta-Brücke. Am Seeufer stehen noch heute auf hohen Pfählen, von Wasser umgeben, die sogennanten «palafitos», Pfahlbauten der Eingeborenen. Ihnen verdankt Venezuela seinen Namen, denn als sie der Konquistador Alonso de Ojeda im Jahre 1492 zum erstenmal sah, erinnerten sie ihn an Venedig (Venezuela: Klein-Venedig).

In Maracaibo befindet sich die Universität von Zulia, deren medizinische Fakultät auf dem Gebiet der Nierentransplantation Weltruf besitzt.

Die Bewohner Zulias lieben ihr Land und sind sehr stolz darauf. Die Dichter nennen es «das von der Sonne geliebte Land», und huldigen damit seinen eindrucksvollen Sonnenuntergängen. Nachts wird am Himmel ein Lichtschein sichtbar, der immer wieder aufleuchtet und wieder erlischt; ein Naturphänomen, für das die Wissenschaft noch keine Erklärung gefunden hat. Man nennt es das «Leuchten des Catatumbo», in Anspielung auf den mächtigen Strom Catatumbo, der zusammen mit anderen Flüssen in den Maracaibosee mündet.

In Zulia werden nicht nur 75% der Landesproduktion an Erdöl gefördert; dank seines fruchtbaren Bodens spielen auch die landwirtschaftliche Produktion sowie die Viehzucht eine bedeutende Rolle in der heutigen Wirtschaft. Wegen der grossen Zahl von Flüssen, die in den See münden, sind seine Ufer sehr fruchtbar.

Von Maracaibo aus kann der Besucher die weiter westlich an der kolumbianischen Grenze gelegene Halbinsel Goajira erreichen. Das ist ein trockenes, unfruchtbares Gebiet, dessen Bewohner, die Goajiro-Indios, sich hauptsächlich der Viehzucht und der handwerklichen Produktion widmen.

Im Innern der Goajira befindet sich die Lagune von Sinamaica mit ihren Mangroven und den Pfahlbauten der Indios. In der Mitte der Lagune wurde auf Pfählen ein kleines Rasthaus für Touristen errichtet, von dem aus die interessante Tier- und Pflanzenwelt bewundert werden kann.

Das Leben der Goajira-Indios ist reich an geheimnisvollen Traditionen, die sich in ihren handwerklichen Produkten wiederfinden. Der gleichsam explosive Farb- und Musterreichtum dieser Gegenstände bildet einen Kontrast zu der Dürre des Landes. Eine dieser Handarbeiten ist das Goajirakleid, ein weites, leichtes Gewand, das von den Goajirafrauen getragen wird, und das ebenso typisch ist wie der Poncho der Anden. Besonders schön sind die vielfarbigen und dekorativen Goajira-Teppiche, die heute weltbekannt sind. Der Tourist kann diese Gegenstände der Heimproduktion auf besonderen Märkten erwerben, z.B. auf dem «Los Filudos»-Markt, wo die Einheimischen jeden Montag ausstellen.

Auf der Goajira-Halbinsel befinden sich auch einige historische Sehenswürdigkeiten, wie die Festungen San Carlos und Zapata, die beide in der Kolonialzeit erbaut wurden, um von hier aus die Überfälle der Piraten abzuwehren.

Zulia ist ein Gebiet, wo die technologisch vorbildliche Erdölförderung, das Symbol der wirtschaftlichen Entwicklung des Landes, neben den Indiokulturen der Goajira und der Sierra de Perijá besteht. Während die Goajira-Indios ohne Schwierigkeiten den Anpassungsprozess an die Zivilisation vollzogen haben, halten die Motilones in der Sierra de Perijá eifersüchtig an ihren jahrtausendealten Lebensformen fest. Sie bewahren ihre Bräuche wie z.B. die Blutrache, und ihre Frauen werden von dem zukünftigen Ehemann noch immer käuflich erworben. Die Motilones sind arbeitsam und dabei fröhlich, sie feiern gern Feste und lieben Tanz und Gesang.

Die Sierra de Perijá ist ein imposantes Gebirgsmassiv mit Gipfeln bis 3.000 m Höhe, reissenden Bächen und weiten Tälern.

Die Bewohner von Zulia sind kontaktfreudig, sie lieben Jahrmärkte und Feste, und sie sind begabte Musiker. Die Zulianischen Weihnachtslieder haben einen mitreissenden Rhythmus und sind ein gutes Beispiel für die ausgeprägte Volkskunst von Zulia. Sie ersetzen trotz ihres kaum religiösen Charakters bei den venezolanischen Weihnachtsfeiern oft die traditionellen Hirtenweisen. Sie werden von Trommeln, Furrucos, Cuatros und Charrascas begleitet.

Das beliebteste Volksfest ist das der «Chinita», die zu Ehren der Heiligen Jungfrau von Chiquinquirá, der Schutzheiligen Maracaibos, gefeiert wird. Da wird mit Musik, nächtlichen Feiern, Bällen, Stierkämpfen und sportlichen Wettkämpfen ein grandioses Fest veranstaltet zu dem ganz Zulia und tausende venezolanischer und ausländischer Touristen zusammenströmen. Das Fest dauert vom 14. bis 18. November. Ein typischer Tanz ist der Chichamaya, ein Ritualtanz der Goajira-Indios, der von Trommeln begleitet wird. Wie auch im Andengebiet, tanzt man hier den «San Benito», ein Tanz afrikanischen Ursprungs.

Die Anden enden an der Grenze zwischen den beiden Bundesstaaten Trujillo und Lara. Ihre Ausläufer gehen in ein ausgedehntes Tafelland, die sogennante Hochebene von Lara, über, die einen beträchtlichen Teil des Staates Lara einnimmt. Im Osten des Staates beginnen die mittleren Ketten der Küstenkordillere, während im Norden das Coriano-Gebirge liegt, ein verhälnismässig flaches Hügel- und Bergland, das sich über Teile von Lara und Falcón hinzieht.

Diese topographische Vielfalt verleiht der Gegend einen ganz besonderen Charakter. In weiten Teilen ist das Klima tropisch heiss, und auf dem trockenen Boden, der Kakteen, Disteln, Dornsträucher, Agaven und Sisalplanzen in Fülle hervorbringt, werden grosse Ziegen- und Schafherden gehalten. Am trockensten ist es in den Carora- und Yaritaguasenken. Ausserdem gibt es Waldgebiete und ausgedehnte Grasfluren, die landwirtschaftlich vorwiegend zum Anbau von Zuckerrohr genutzt werden.

Die Hauptstadt des Staates ist Barquisimeto. Der Name stammt aus der Eingeborenensprache und bedeutet «Fluss mit aschfarbenen Fluten». Die Stadt ist dicht bevölkert, und sie hat ein angenehmes Klima. Barquisimeto ist der bedeutendste Verkehrsknotenpunkt Westvenezuelas; es liegt am Schnittpunkt zahlreicher Verkehrswege, die zu den wichtigsten Gebieten des Landes führen. Daher auch seine Bedeutung als Warenumschlagplatz. Im übrigen Land ist die Stadt wegen ihrer schönen Sonnenuntergänge als «Stadt der Abenddämmerungen» bekannt. Der bekannte venezolanische Schriftsteller Salvador Garmendia, der zu Recht als der «Botschafter der venezolanischen Literatur innerhalb der lateinamerikanischen Welle» bezeichnet wird, stammt von hier.

Unter den Sehenswürdigkeiten Barquisimetos befinden sich zwei moderne Gebäude: die Kathedrale und der Obelisk. Der Obelisk ist als Denkmal zum 400jährigen Bestehen der Stadt errichtet worden, und von seiner Spitze aus hat man aus einer Höhe von 70m einen Rundblick über Stadt und Umgebung.

El Tocuyo, ein anderer wichtiger Ort dieser Provinz, ist eine der ältesten Städte Venezuelas. Zur Zeit der Eroberungen war es Ausgangspunkt für zahlreiche Expeditionen in andere Landesteile. Während des Erdbebens im Jahre 1950 zerstört, ist es inzwischen wieder aufgebaut worden.

Das grösste Volkfest des Staates Lara ist der «Tamunangue», das zu Ehren des Heiligen Benito gefeiert wird. Dabei wird ein «Tanz der Verführung» mit vielen Figuren aufgeführt. In Barquisimeto wird jedes Jahr das «Fest der Göttlichen Hirtin», der Schutzheiligen der Stadt, gefeiert.

Aus den Fasern der grossblättrigen Agave werden verschiedene Gegenstände in Handarbeit hergestellt: Säcke, Taue, Turnschuhe und Hängematten. Die Schafswolle wird zu den berühmten «Quibor-Decken» verarbeitet. Weitere wertvolle handwerkliche Produkte dieser Gegend sind Möbel aus Holz und Booksleder, schöne Keramiken und die kleine, viersaitige Carora-Gitarre (Cuatro genannt). Aus den Wurzeln der hier zahlreich wachsenden Agaven wird ein Schnaps gewonnen, der nach der Pflanze benannt wird (Cocuy).

Nördlich von Lara liegt der Staat Falcón, von dem sich ein grosser Teil am Karibischen Meer entlangzieht. Dieser Küstenstreifen ist sandig und unfruchtbar, mit vorwiegend xerophiler Vegetation. Es gibt viele schöne Strände. Wenige Kilometer landeinwärts stösst man dann auf erfrischende Bergwälder und fruchtbare Täler.

Die eigentliche Besonderheit von Falcón aber bietet die Halbinsel Paraguaná, die ungefähr von der Mitte des Staates aus in das Karibische Meer hineinragt. Diese Halbinsel hat eine wüstenartige Vegetation, aber auch Badestrände von grosser Schönheit, u.a. die Strände von Tucacas, Chichiriviche und Morrocoy.

Der Nationalpark von Morrocoy besteht aus einem Labyrinth von Lagunen und Salzwasserkanälen, deren Ufer von Mangroven gesäumt sind. Die Mangrove ist eine widerstandsfähige Pflanze, die auch in einem salzhaltigen Boden gedeihen kann. Der Halbinsel vorgelagert liegen schöne Korallenriffe. Es gibt viele Arten von Seevögeln, vor allem Reiher, Möven und Kormorane. Vorkehrungen sind getroffen worden, um dieses bedeutende Naturgebiet zu erhalten.

Einer der Hauptanziehungspunkte für Touristen sind die «Dünen von Coro», Sandhügel nach Art der Wüstendünen, die ihre Form mit dem Wind ändern. Sie erstrecken sich über mehr als 80 qkm.

Der wichtigste Wirtschaftszweig des Staates ist der Ölsektor. In Punta Cardon und in Amuay stehen zwei der grössten Raffinerien Venezuelas. Ausserdem wird Baumwolle, Zuckerrohr und Tabak angebaut, und Ziegenzucht betrieben. Auch die Salzgewinnung spielt eine gewisse Rolle, ebenso wie der Fischfang (Garnelen).

Coro ist eine typische Kolonialstadt. Seine Häuser mit grossen, gitterverzierten Fenstern, seine gepflasterten Strassen, die Plätze, eine schöne Kathedrale, und zahlreiche Gebäude im Kolonialstil machen es zu einem historischen Kleinod.

Die heutige Bevölkerung von Falcón ist aus dem Zusammentreffen verschiedener Gruppen hervorgegangen, die sich nach und nach miteinander vermischt haben. Dieser Vorgang wurde durch die Lage Falcóns am Karibischen Meer begünstigt: hier gingen verschiedene Völkergruppen an Land, unter anderen Franzosen, Juden, und die Eingeborenen der Karibischen Inseln.

Dieser besondere Menschenschlag hat in den «Volkweisen von Coro» seine eigene ausdrucksstarke Musik entwickelt, deren Texte meist allgemein philosophische Themen behandeln, wie das Leben des Menschen, die kurze Zeit, die er auf der Erde verbringt, den Tod... usw.

Unter seinen Festen ist eines dem Heiligen Isidor geweiht, dem Schutzheiligen der Ernten. Bei diesem Anlass tanzt man den «Tanz der Turos», der ebenfalls dem Ackerbau gewidmet ist, und der noch von den Ureinwohnern dieser Provinz überliefert worden ist.

Mit Hilfe traditioneller Produktionsmethoden werden in Falcón schöne Tongefässe, irdenes Geschirr und bockslederne Möbel hergestellt.

Yaracuy, der vierte Staat Ostvenezuelas, liegt im Südosten von Falcón und östlich des Staates Lara. Sein Name geht auf den berühmten Indiokaziken (Stammeshäuptling) Yaracuy zurück, der hier gelebt hat.

Der Staat wird von zwei grossen Tälern durchzogen, von der Niederung des Rio Aroa und der des Rio Yaracuy. Der Boden dieser Gebiete ist sehr fruchtbar, und wird in erster Linie zum Anbau von Zuckerrohr genutzt. Auch Viehzucht, vor allem von Zebus, wird betrieben.

San Felipe, die Hauptstadt des Staates, bietet dem Touristen den Anblick interessanter Kolonialbauten, unter denen das im gleichnamigen Park gelegene Museum besonders hervorzuheben ist. In interessantem Kontrast zu diesen Bauten steht die moderne Architektur der Kathedrale.

Die einzige Eisenbahnlinie Venezuelas, die in Barquisimeto anfängt, führt durch San Felipe.

Die grösste touristische Attraktion Yaracuys ist der Kult der Berg- und Sonnengöttin Maria Lionza. Er stammt noch aus vorkolumbischer Zeit, als es noch keine fremden Einflüsse gab. Es ist ein komplexer, mystischer Kult, in dem die besondere Eigenart des venezolanischen Volkes deutlich zum Ausdruck kommt. Er wird in den Bergen von Sorte zelebriert, die sich inmitten einer Ebene mit Zuckerrohrplantagen erheben. Dieses pittoreske Bergland hat eine fächerartige Formation, es ist von Hochwald bedeckt und im Innern entspringen viele Quellen.

"Gavilanes en el Paraiso florido"

"Hawks in the blooming Paradise"

"Faucons dans le Paradis florissant"

"Falken im blühenden Paradies"

Tapíz Guajiro realizado a mano por la mundialmente famosa artista indígena "Tere".

A totally handmade Guajiro Tapestry designed by "Tere", world famous indian artist.

Tapis Guajiro réalisé à la main, conçu par le célèbre artiste indien "Tere".

Vom bekannten indianischen Künstler "Tere" handgeknüpfter Guajiro-Teppich.

Artesanía Guajira.

Guajira craftwares.

Artisanat Guajira.

"Guajira"-Kunsthandwerk.

Laguna de Sinamaica.

Laguna de Sinamaica.

Lagune de Sinamaica.

Die Lagune von Sinamaica.

Transportes colectivos en Paraguapoa.

Public transport in Paraguapoa.

Transport en commun à Paraguapoa.

Personentransport in Paraguapoa.

Estación de bombeo.

A pumping station.

Station de pompage.

Erdölpumpe.

Obreros de la industria petrolera.

Oil workers.

Ouvriers du pétrole.

Erdölarbeiter.

El Lago de Maracaibo, símbolo de la riqueza petrolera de Venezuela.

Lake Maracaibo, symbol of Venezuela's oil wealth.

Lac de Maracaibo, symbole de la richesse pétrolière du Venezuela.

Der Maracaibosee, Symbol des Erdölreichtums Venezuelas.

Maracaibo: escultura frente a la Iglesia de Santa Bárbara.

Maracaibo: a sculpture in front of the Church of Santa Barbara.

Maracaibo : sculpture devant l'Église Santa Barbara.

Maracaibo: Skulptur von der Barbarakirche.

Coro, testimonio viviente de la arquitectura colonial.

Coro, a living testimony to Colonial architecture.

Coro, vivant témoignage de l'architecture coloniale.

Coro, ein lebendes Beispiel für koloniale Architektur.

La Casa de los Arcaya (siglo XVIII).

The eighteenth-century House of the Arcayas.

Maison des Arcayas - 18ème siècle.

◄ *Das Haus der Arcayas - 18. Jahrhundert.*

La Playa de Cata.

Cata Beach.

Plage de Cata.

← *Der Strand von Cata.*

↑ *La Playa de Choroní.*

Choroní beach.

Plage de Choroní.

Der Strand von Choroní.

Parque Nacional de Los Médanos de Coro.

The Coro National Park.

Parc National : les dunes de Coro.

Nationalpark: die Dünen von Coro.

La península de Araya. →

The Araya peninsula.

La péninsule Araya.

Die Halbinsel Araya.

REGION ORIENTAL

La región oriental comprende los Estados Nueva Esparta, Sucre, Anzoátegui y Monagas.

El Estado Nueva Esparta, centro de la región oriental, es un conjunto insular formado por las islas Coche, Cubagua y Margarita.

Cubagua fue la primera población del Nuevo Mundo. Los españoles la fundaron, atraídos por las importantes pesquerías de perlas, y le dieron el nombre de Nueva Cádiz. El trabajo se basó en la mano de obra indígena esclava. La isla perdió importancia por el agotamiento de los ostrales. En ella se expresaron dos rasgos que signan la Conquista: la explotación inmisericorde de la naturaleza y el atropello del hombre. En 1541, por causas no claramente establecidas por los Historiadores de Indias, la ciudad quedó destruída. Sus ruinas se conservan y son hoy una atracción turística. El venezolano Enrique Bernardo Núñez escribió sobre la isla una hermosa novela titulada "Cubagua".

Nueva Esparta recibió su nombre de la heroicidad de sus guerreros en las batallas de Independencia, que evocaron aquellas libradas por los Espartanos en la antigua Grecia. Una de estas célebres batallas fue la ejecutada por las tropas patriotas en el Cerro de Matasiete, en la cual vencieron a los realistas arrojándoles grandes peñazcos.

Margarita es la mayor de las islas venezolanas. Estuvo habitada por los indios Guaiqueríes. Tiene dos porciones de tierra unidas por un istmo llamado Istmo de Arestinga. La porción de agua que está entre ellas forma la hermosa Laguna de Arestinga, poblada de islotes y manglares.

La Isla está llena de lugares históricos, cuyos castillos, antiguas casas e iglesias coloniales fueron testigos de las heroicas gestas de Independencia.

En el Castillo de Santo Rosa padeció una larga prisión Luisa Cáceres de Arismendi, esposa del Prócer de la Independencia, Libertador de la Isla de Margarita, Juan Bautista Arismendi.

Muchos de los pueblos de Margarite poseen su Fortaleza. Estas fueron levantadas durante la Colonia para defender al Nuevo Mundo de los corsarios que azotaban las costas. Cada una de ellas encierra una hermosa leyenda, transmitida de generación en generación por los moradores del pueblo.

La Asunción, capital del Estado, tiene importantes edificaciones coloniales, entre ellas la Catedral de la Asunción, construída en el siglo XVI.

Los venezolanos llaman con amor a Margarita "La Perla del Caribe". En verdad, la Isla lo merece. Tiene unas playas de belleza sin igual, como las de Pampatar, el Tirano, el Morro, Punta de Piedra, Pedro González, la playa de la Arestinga y la Bahía de Juan Griego, donde está el Castillo "La Galera". Desde él se puede contemplar los más bellos atardeceres de la Isla.

Debido a que es un conjunto insular, la vida de Nueva Esparta gira alrededor del mar y sus actividades tradicionales han sido la pesquería y el comercio. Antaño era famosa en el Oriente por la construcción de naves.

Esta condición marítima viene a determinar en gran parte las condiciones de su folklore. Los polos margariteños compendian muy bien el caracter extrovertido y poético del margariteño. Su ritmo es lento, pleno de largas pausas. Expresan en su intenso lirismo, la filosofía abierta e igualitaria con que asume la vida un pueblo alegre que también acepta el peligro y la muerte de los marinos.

El Folklore del mar se manifiesta también en las llamadas "Diversiones", fiestas con comparsas que escenifican una historia. Entre ellas las de "La Burriquita", "El Pájaro Guarandol" y la de "El Carite". En esta última se representa la pesca de éste con unos bailarines envueltos por una maqueta de barco y un bailarín vestido de carite.

El fervor religioso de la Isla es muy profundo. Tiene su mayor expresión en el culto a la Vírgen del Valle, Patrona de las islas. Se le atribuyen poderes milagrosos y ante su imagen albergada en el Santuario de la Vírgen del Valle, acuden miles de devotos a pagar promesas por los fervores recibidos. En su día se realizan verdaderas fiestas en las que se vuelca toda la Isla a celebrar.

El caracter del margariteño es pacífico y sencillo. Se reúne a conservar largamente en las calles, tal como si se encontrara en la sala de su casa. Es tal su ejemplar conducta que Margarita se ha caracterizado durante largo tiempo por la ausencia de presos en las cárceles, las cuales se destinaron a otro uso.

A todos los encantos que brinda Margarita al turista, se ha agregado el del Puerto Libre de Porlamar. Hoy esta ciudad es un gran centro comercial, en cuyas tiendas se adquieren mercancías de todo el mundo a bajos precios, libres de impuesto.

El Estado Sucre recibió su nombre en memoria del Gran Mariscal de Ayacucho, Antonio José de Sucre, quien nació en Cumaná. Esta ciudad, capital del Estado, es la primera de las fundadas por los españoles en tierra firme en toda la América del Sur (1521). Fue llamada Nueva Toledo, y su actual nombre lo debe a los indios Cumanagotos, quienes vivían en la región. Es rica en playas y es testimonios históricos, entre ellos el Castillo de Santa Inés. Son oriundos de Cumaná dos prestigiosos poetas del país: Andrés Eloy Blanco y José Antonio Ramos Sucre.

El Estado se caracteriza por las tierras que abre al mar Caribe en forma de península. Hacia el oeste avanza la Península de Araya y hacia el este de Paria. La Península de Paria está dotada de accidentes naturales y de una rica flora. Entre la Península de Paria y las tierras continentales está el Golfo del mismo nombre. Ahí se encuentra el Puerto Cristóbal Colón, donde el almirante, en su tercer viaje, pisó por primera vez el continente americano el 5 de agosto de 1498.

La Península de Araya, de tierras muy secas y erosionadas, es conocida por sus famosas Salinas de Araya, producto del trabajo directo del hombre con el mar aprovechando su sal. Sobre estas Salinas, existe el espléndido documental "Araya", de la cineasta venezolana Margot Benacerraf. Su calidad lo hizo acreedor del premio en Cannes como la mejor película extranjera.

Entre la Península de Araya y la tierra continental se forma el Golfo de Cariaco, de grande riqueza pesquera, a cuya entrada está la ciudad de Cumaná.

Las playas del Estado son de aguas claras y apacibles. Una de las más hermosas es la Playa Colorada, llamada así por sus arenas rojizas.

El Estado Anzoátegui tiene una extensión de playas de aguas muy tranquilas, llenas de islotes. Entre ellas Lechería, Puerto Píritu, Boca de Uchire, Puerto La Cruz y la Bahía de Mochima, cuyos paisajes son realmente preciosos.

La capital de Anzoátegui es la ciudad de Barcelona, a orillas del Río Neverí. Es un importante centro de comercio de la región oriental del país.

Es célebre la heroica defensa que libraron los patriotas durante la Guerra de Independencia en la "Casa Fuerte". El pueblo de Clarines, al sur-oeste de Barcelona, tiene una hermosa iglesia colonial.

La ciudad de Puerto La Cruz es centro de embarque del petróleo de la región oriental. Frente a los puertos de Guanta y Puerto La Cruz, están las islas Chimana, La Borracha y la Isla de Plata.

El Macizo Oriental, que nace en Cumaná, tiene montañas muy cerca de las costas de Anzoátegui, lo cual la dota de un clima fresco y de tierras aptas para el cultivo de cacao y café, al tiempo que cambia la fisonomía de la costa, que ya no es como la de Margarita, la típica costa llana.

Anzoátegui es un Estado muy interesante, que al igual que Monagas, tiene características culturales de la región oriental y de los llanos venezolanos.

El Estado Monagas, al este de Anzoátegui, posee una extensa zona montañosa, boscosa, de tierras fértiles en valles y hondonadas donde se cultiva el café, cacao y tabaco. La capital del Estado, Maturín, es un importante centro comercial de la región oriental.

En la Sierra de Santa María de Curiepe, integrante del Sistema Oriental, se encuentra la Cueva del Guácharo, maravillosa creación de la naturaleza. Es una inmensa cueva, aún no explorada en su totalidad, que comienza con una impresionante entrada que se va estrechando en galerías. Sus paredes están cubiertas de extrañas formaciones naturales. El habitante de esta cueva es el "Guácharo", único en el mundo. Este morador de las tinieblas, de grandes dimensiones, se guía por radar sonoro, al igual que el murciélago.

Al sur de Monagas, en mitad del llano, se alza la Mesa de Guanipa. Es una zona ganadera con todos los rasgos propios del llano y famosa por su casabe, pan de los indios y alimento nacional.

La economía de Monagas y Anzoátegui se basa fundamentalmente en el petróleo. El descubrimiento de yacimientos petroleros le impartió características nuevas a la región, creándose campamentos petroleros en tierras antes deshabitadas.

Hoy la importancia de estos yacimientos ha descendido. Algunas de sus instalaciones, como la de Jusepín, han sido cedidas a la Universidad de Oriente.

La Universidad de Oriente tiene extendidos sus núcleos en los diversos estados orientales. El Instituto Oceonográfico, es un importante centro de estudio y perservación de la riqueza del mar venezolano.

Alfredo Armas Alfonso, escritor contemporáneo venezolano, ha plasmado en sus obras la vida y cultura de los pueblos orientales.

THE EASTERN REGION

The Eastern region comprises the States of Nueva Esparta, Sucre, Anzoategui and Monagas.

The State of Nueva Esparta, in the centre of the Eastern region, is a series of islands: Coche, Cubagua and Margarita.

Cubagua was the first township of the New World. It was founded by the Spaniards, who were attracted by the pearl fishing and who gave it the name of New Cadiz. Native slave labour was exploited. The island lost its importance when the fishing grounds were exhausted. The history of the spot was marked by human injustice and the ruthless exploitation of nature. In 1541, for reasons which historians have not fully established, the town was destroyed. Its ruins have been preserved and are now a tourist attraction. The Venezuelan Enrique Bernardo Nuñez wrote a novel about the island entitled "Cubagua".

Nueva Esparta derived its name from the heroism of its warriors during the struggle for independence; their battles were comparable to those engaged in by the Spartans in Ancient Greece. One of these battles was waged by patriot troops on the hill of Matasiete, where they vanquished the Royalists by pelting them with large rocks.

Margarita is the largest of the Venezuelan islands. It was formerly inhabited by the Guaiqueríes Indians, and consists of two pieces of land connected by the Isthmus of Arestinga. Adjacent to the isthmus is the fine lagoon of Arestinga, dotted with islets where mangroves grow.

The island is full of historical spots, including castles, old houses and colonial churches standing witness to heroic acts during the struggle for independence.

In the castle of Santa Rosa, Luisa Caceres de Arismendi, the wife of an independence leader, the liberator of the island of Margarita, Juan Bautista Arismendi, was imprisoned for a long time.

Every village in Margarita has its fortress. They were built during the Colonial era as defences against pirates who infested the coast. Each of them has a legend attached to it, which has been handed down from generation to generation by the inhabitants of the village.

La Asuncion, capital of the State, still has a number of large colonial buildings, among them the Cathedral of the Assumption, built in the sixteenth century.

Venezuelans proudly call Margarita the "pearl of the Caribbean". And the island indeed deserves the name. Its beaches are of unrivalled beauty, among them Pampatar, El Tirano, El Morro, Punta de Piedra, Pedro Gonzales, Arestinga and the Bay of Juan Griego, where stands the fortress 'La Galera'. From this spot magnificent sunsets can be admired.

Because of its insular nature, life in Nueva Esparta is centred around the sea, and its traditional activities have always been fishing and trade, and was formerly renowned for shipbuilding.

This maritime environment largely shaped its folklore. The music and song of Margarita Island well reflect the extroverted and poetic character of its inhabitants.

The rhythm is slow, with long pauses. The intensely lyric songs reflect the open and egalitarian philosophy of a happy people facing up to life and accepting also the dangers and risks run by seamen.

The folklore of the sea is also manifested in festivals in which actors play out a story. These stories include 'The Little Mule', 'The Guarandol Bird' and 'The Sawfish'. In this last one, the dancers are concealed in the mock-up of a boat, and one of them is disguised as a sawfish and pretends to be caught.

The islanders' deep religious fervour finds its greatest expression in the worship of the Virgin of the Valley, the patron saint of the island. Miraculous powers are attributed to her, and thousands of worshippers flock to the Shrine of the Virgin of the Valley which contains her statue in order that their wishes may be fulfilled in exchange for favours received. On the Virgin's fête day the whole island gives itself over to rejoicing.

The inhabitants of Margarita are simple, peace-loving folk. They gather together and hold long conversations in the streets, exactly as though they were at home. So exemplary is their conduct that for long past Margarita's prisons have been empty.

Another attraction of Margarita for the tourist is the "free port" of Porlamar. This town is today an important commercial centre whose shops sell tax-free merchandise from all over the world.

The State of Sucre is named after the Marshal of Ayacucho, Antonio José de Sucre, who was born at Cumana. This town, the capital of the State, was the first to be founded by the

Spaniards on the mainland of South America, in 1521. They called it New Toledo, and its present name was bestowed on it by the Cumanagoto Indians, who lived in the region. It has many beaches and places of historic interest, among them the fortress of Santa Ines. Two distinguished Venezuelan poets were born in Cumaná, Andrés Eloy Blanco and José Antonio Ramos Sucre.

The State has a Caribbean coastline comprising two peninsulas: to the West is the peninsula of Araya and to the East that of Paria. The peninsula of Paria is rich in flora and boasts attractive scenery. Between the peninsula of Paria and the mainland is the gulf of the same name. On this gulf lies the port of Cristobal Colon, where the Admiral set foot on the soil of the American continent for the first time in the course of his third voyage, on 5 August 1498.

The peninsula of Araya, whose soil is dry and eroded, is known for its celebrated salt flats which have been regained from the sea. It was here that the splendid documentary film "Araya" was made by the Venezuelan film maker Margot Benacerraf. It won the award for the best foreign film at the Cannes festival.

The Gulf of Cariaco lies between the peninsula of Araya and the mainland. It abounds in fish, and the town of Cumana lies on its shores.

The beaches of this State are lapped by clear, calm waters. One of the finest of them is called the Playa Colorada because of its reddish sand.

The State of Anzoategui boasts similarly attractive beaches, and the offshore waters are dotted with islets, among them Lecheria, Puerto Piritu, Boca de Uchire, Puerto La Cruz and the Bay of Mochima, whose scenery is truly magnificent.

The capital of Anzoategui is Barcelona, on the banks of the River Neveri. It is an important commercial centre in the Eastern region of the country.

The heroic defence put up by the patriots during the War of Independence in the "fortified house" is celebrated. The village of Clarines, South-West of Barcelona, has a fine Colonial church.

The town of Puerto La Cruz is the centre from which the oil of the Eastern region is shipped. Opposite the ports of Guanta and Puerto La Cruz are the islands of Chimana, La Borracha and Plata.

Some of the mountains of the Eastern Range, which begins at Cumana, are very near the Anzoategui coast, giving the locality a cool climate and allowing of the cultivation of cocoa and coffee. The coast is different from that of Margarita, which is typically flat.

Anzoategui is a very interesting State; like Monagas, it has the cultural features of the Eastern region and the Venezuelan plains.

The State of Monagas, to the East of Anzoategui, includes an extensive wooded mountainous area and fertile valleys, where coffee, cocoa and tobacco are cultivated. The capital, Maturin, is an important commercial centre in the Eastern region.

In the Sierra de Santa Maria de Curiepe, which forms an integral part of the Eastern System, we find the Grotto of Guacharo, a splendid natural cave. It is of immense size and has not yet been completely explored; its impressive entrance narrows into galleries and the walls are covered with strange natural formations. The cave is inhabited by the guacharo, a sort of nightjar, unique in the world. This dweller in the darkness is of considerable size and finds its way around by a kind of radar, like the bat.

To the South of Monagas, in the middle of the plain, stands the plateau of Guanipa. It is a livestock farming area with all the characteristics specific to the plain, and is famed for its *cassabe*, bread made from cassava flour which is the national diet of the Indians.

The economy of Monagas and Anzoategui is fundamentally based on oil. The discovery of oilfields changed the region considerably, and oil encampments sprang up on previously uninhabited land.

Today, these oilfields have lost some of their importance. Some of the installations, like that of Jusepin, have been handed over to the Eastern University.

The Eastern University has divisions in various States in the East of the country. The Oceanographic Institute is an important centre for the study and preservation of Venezuelan marine resources.

Alfredo Armas Alfonso, the contemporary Venezuelan writer, has described the life and culture of the towns of the Eastern region in his books.

REGION ORIENTALE

La région orientale comprend les provinces de Nueva Esparta, Sucre, Anzoategui et Monagas.

La province de Nueva Esparta, centre de la région orientale, est un ensemble insulaire formé par les îles Coche, Cubagua et Margarita.

Cubagua fut la première agglomération du Nouveau Monde. Les Espagnols, la fondèrent, attirés par les importantes pêcheries de perles, et lui donnèrent le nom de Nouvelle Cadix. On organisa le travail avec la main d'œuvre indigène esclave. L'île perdit de son importance avec l'épuisement des pêcheries. Deux raisons l'expliquent : l'exploitation sans réserve de la nature et l'injustice de l'homme. En 1541, pour des causes mal établies par les historiens des Indes, la ville fut détruite. On a conservé ses ruines et elles sont aujourd'hui, une attraction touristique. Le Vénézuélien Enrique Bernardo Nunez écrivit un beau roman sur l'île sous le titre « Cubagua ».

Nueva Esparta reçut son nom de l'héroïsme de ses guerriers pendant les combats de l'Indépendance qui évoquèrent ces batailles livrées par les Spartiates dans la Grèce antique. L'une de ces célèbres batailles fut menée par les troupes des patriotes sur la colline de Matasiete où ils vainquirent les royalistes én leur jetant de gros rochers.

Margarita est la plus grandes des îles vénézuéliennes. Elle fut habitée par les indiens Guaiqueries. Elle est composée de deux territoires unis par un isthme appelé Isthme d'Arestinga. L'étroit passage maritime forme la belle lagune d'Arestinga, peuplée d'îlots et de palétuviers.

L'île est riche de sites historiques, dont des châteaux, de vieilles maisons et d'églises coloniales témoins des actes héroïques de l'Indépendance.

Dans le château de Santa Rosa, Luisa Caceres de Arismendi épouse d'un Grand de l'Indépendance, le Libérateur de l'île de Margarita, Juan Bautista Arismendi, fut longtemps emprisonnée.

Chaque village de Margarita possède sa forteresse. Toutes furent construites pendant la Colonie pour défendre le Nouveau Monde des corsaires qui infestaient les côtes. Chacune d'elles abrite une légende, transmise de génération en génération par les habitants du village.

La Asuncion, capitale de la province, conserve d'importantes constructions coloniales, parmi celles-ci la « Cathédrale de l'Assomption », construite au XVIème siècle.

C'est avec amour que les Vénézuéliens appellent Margarita la « perle des Caraïbes ». En vérité, l'île le mérite. Elle a des plages d'une beauté sans égal, comme celles de Pampatar, El Tirano, El Morro, Punta de Piedra, Pedro Gonzales, la plage de l'Arestinga et la Baie de Juan Griego où s'élève le château du même nom. De ce château on peut contempler les plus beaux couchers de soleil de l'île.

Etant donné son caractère insulaire, la vie à Nueva Esparta est orientée vers la mer et ses activités traditionnelles ont été la pêche et le commerce. Autrefois, Oriente était réputé pour la construction des bateaux.

Cette condition maritime détermine, en grande partie son folklore. Les airs de l'île Margarita résumaient très bien le caractère hospitalier et poétique du margaritain.

Le rythme est lent avec de longues pauses. Ils expriment, dans leur lyrisme intense, la philosophie ouverte et égalitaire qu'assume un peuple joyeux face à la vie tout en acceptant aussi les risques du métier, le danger et la mort des marins.

Le folklore de la mer se manifeste également dans les « Diversions », ces fêtes qui se déroulent avec des figurants représentant une histoire. Parmi celles-ci il faut noter « la petite mule », « l'oiseau Guarandal » et celle du « poisson-scie ». Dans cette dernière des danseurs sont dissimulés dans une maquette de bateau et un danseur déguisé en poisson-scie figure la capture de celui-ci.

La ferveur religieuse de l'île est très profonde. Elle revêt sa plus grande expression dans le culte à la Vierge de la Vallée, patronne des îles. On lui attribue des pouvoirs miraculeux et des milliers de dévôts se rendent au « Sanctuaire de la Vierge de la Vallée » qui abrite sa statue pour accomplir des vœux en échange de ses faveurs. Le jour de sa fête on célèbre de véritables réjouissances auxquelles toute l'île participe avec ferveur.

Le margaritain a un caractère pacifique et simple. Il se réunit pour conserver longuement dans les rues, exactement comme s'il était chez lui. Sa conduite exemplaire est telle que Margarita s'est longtemps caractérisé par l'absence de prisonniers dans ses prisons destinées à d'autres usages.

A tous les charmes qu'offre Margarita au touriste, s'est ajouté celui du port franc de Porlamar. Aujourd'hui cette ville est un grand centre commercial, dans les boutiques duquel on peut se procurer des marchandises du monde entier à bas prix, libres d'impôt.

La province de Sucre a reçu son nom en mémoire du Grand Maréchal d'Ayacucho, Antonio José de Sucre qui naquit à Cumana. Cette capitale, a été la première que fondèrent les Espagnols sur la terre ferme, dans toute l'Amérique du Sud, en 1521. Elle fut appelée « Nouvelle Tolède » et son nom actuel elle le doit aux indiens Cumanagotos, qui vivaient dans la région. Elle est riche en plages et en témoignages historiques, parmi lesquels le Château de Santa Inés. Deux prestigieux poètes du pays sont originaires de Cumana : Andrés Eloy Blanco et José Antonio Ramos Sucre.

La région est caractérisée par les terres qui s'ouvrent sur la mer des Caraïbes en forme de péninsule. Vers l'ouest s'avance la péninsule d'Araya et vers l'est, celle de Paria. La péninsule de Paria est pourvue d'accidents naturels et d'une riche flore. Entre la péninsule de Paria et les terres continentales se trouve le golfe du même nom. Le port Cristobal Colon, où l'Amiral, lors de son troisième voyage, foula pour la première fois le sol du continent américain, le 5 août 1498, est situé dans le golfe.

La péninsule d'Araya, aux terres très sèches et érodées, est connues pour ses fameuses salines d'Araya, le produit du travail direct de l'homme avec la mer, et profite de son sel. Sur ces salines a été tourné le splendide documentaire « Araya » par la cinéaste vénézuélienne Margot Benacerraf. La qualité du film lui valut, à Cannes, le prix du meilleur film étranger.

Le golfe de Cariaco est compris entre la péninsule d'Araya et le continent. C'est un golfe très poissonneux à l'entrée duquel s'élève la ville de Cumana.

Les plages de cette province ont des eaux claires et paisibles. L'une des plus belles, la « Plage Colorée », doit son nom à son sable rougeâtre.

La province d'Anzoategui présente une étendue de plages aux eaux tranquilles, couvertes d'îlots. Parmi celles-ci, Lecheria, Puerto Piritu, Boca de Uchire, Puerto La Cruz et la Baie de Mochima, dont les paysages sont réellement magnifiques.

La capitale d'Anzoategui est la ville de Barcelona, au bord du fleuve Neveri. C'est un important centre commercial de la région orientale du pays.

L'héroïque défense que livrèrent les patriotes pendant la Guerre d'Indépendance dans la « Maison fortifiée » est célèbre. Le village de Clarines, au sud-ouest de Barcelona, a une belle église coloniale.

La ville de Puerto La Cruz est le centre d'embarquement du pétrole de la région orientale. Face aux ports de Guanta et Puerto La Cruz, se trouvent les îles Chimana, la Borracha et « l'Ile d'Argent » (isla de Plata).

Le Massif Oriental, qui naît à Cumana, a des montagnes très proches des côtes d'Anzoategui, ce qui lui procure un climat frais ; ses terres sont aptes à la culture du cacao et du café, et la physionomie de la côte n'est plus comme celle de Margarita, typiquement plate.

Anzoategui est une province très intéressante, qui de même que celle de Monagas, a des caractéristiques culturelles de la région orientale et de la Plaine vénézuélienne.

La province de Monagas, à l'est de l'Anzoategui, possède une vaste zone montagneuse, boisée, aux terres particulièrement fertiles dans les vallées et dépressions où l'on cultive le café, le cacao et le tabac. La capitale, Maturin, est un important centre commercial de la région orientale.

Dans la Sierra de Santa Maria de Curiepe, partie intégrante du Système Oriental, on trouve la Grotte de Guacharo, merveilleuse création de la nature. C'est une immense grotte pas encore complètement explorée, avec une entrée impressionnante qui se rétrécie en galeries. Ses parois sont couvertes d'étranges formations naturelles. L'habitant de cette grotte est le « Guaracho », (sorte d'engoulevent) unique au monde. Cet habitant des ténèbres, de grande taille, se guide grâce à un radar sonore, comme la chauve-souris.

Au sud du Monagas, au milieu de la plaine, se dresse le plateau de Guanipa. C'est une zone d'élevage avec toutes les caractéristiques propres à la plaine et célèbre pour sa « cassabe » (galette de farine de manioc), pain des indiens et aliment national.

L'économie du Monagas et d'Anzoategui est fondamentalement basée sur le pétrole. La découverte de gisements pétroliers apporta à la région un essor nouveau et des campements pétroliers se créèrent sur les terres auparavant inhabitées.

Aujourd'hui l'importance de ces gisements a décrue. Quelques-unes de ses installations, comme celle de Jusepin, ont été cédées à l'Université de l'Orient.

L'Université d'Orient a des ramifications étendues aux divers états de l'Orient. L'Institut océanographique, est un important centre d'études et de préservation de la richesse marine vénézuélienne.

Alfredo Armas Alfonso, écrivain vénézuélien contemporain a retracé dans ses œuvres la vie et la culture des villes de l'orient.

DIE OSTREGION

Zu dieser gehören die Bundesstaaten Nueva Esparta, Sucre, Anzoategui und Monagas. Den im Zentrum der Ostregion gelegenen Staat Nueva Esparta bildet eine Inselgruppe bestehend aus den Inseln Coche, Cubagua und Margarita.

Auf Cubagua befand sich die erste Siedlung in der Neuen Welt. Die von der Perlenfischerei angelockten Spanier gründeten eine Ortschaft, die sie «Neu Cadiz» nannten. Die Arbeiten wurden von Sklaven ausgeführt die aus den eingeborenen Indios genommen wurden. Mit der Erschöpfung der Perlenvorräte verlor die Insel an Bedeutung. Zwei Merkmale kennzeichnen die Zeit der Eroberung: sowohl die Naturschätze wie auch die Menschen wurden damals erbarmungslos ausgebeutet. Aus Gründen, die von der Geschichtsschreibung Westindiens noch nicht klar erkannt wurden, ist die Stadt im Jahre 1541 vollkommen zerstört worden. Die Ruinen sind heute eine touristische Attraktion. Der Venezolaner Enrique Bernardo Nuñez schrieb einen Roman über die Insel mit dem Titel «Cubagua».

Den Namen Nueva Esparta (Neu Sparta) erhielt der Staat zu Ehren der heldenhaften Freiheitskämpfer in den Unabhängigkeitskriegen auf diesem Gebiet und soll an die Schlachten der Spartaner im alten Griechenland erinnern. Eine der berühmtesten Schlachten gewannen die patriotischen Truppen auf dem Hügel von Matasiete, wo sie die Royalisten durch Herabrollen grosser Felsbrocken besiegten.

Margarita ist die grösste dieser Inseln des Staates Nueva Esparta. Zwei Landflächen, durch eine schmale Landenge, den Isthmus von Arestinga, verbunden, bilden diese Insel. Die einstigen Bewohner waren die Guaiquerí-Indios. Die Meeresarme, welche die Insel teilen, bilden die schöne, von vielen Wasservögeln bewohnte, Lagune von Arestinga mit zahlreichen kleinen Inseln und Mangrovenwäldern.

Überall und in allen Siedlungen befinden sich historische Stätten. Die alten Häuser, Festungen und Kolonialkirshen waren Zeugen der heldenhaften Geschichte der Befreiunhskämpfe.

Luisa Cáceres de Arismendi, die Frau des grossen Freiheitskämpfers und Befreiers der Insel Margarita, Juan Bautista Arismendi, war lange Zeit in der Festung von Santa Rosa in Haft.

Viele Orte auf Margarita besitzen eine Festung aus der Kolonialzeit. Sie wurden gebaut um die Neue Welt gegen die Korsaren zu verteidigen, die an diesen Küsten ihr Unwesen trieben. Jede dieser Festungen hat ihre Legende, die von Generation zu Generation weitergegeben worden ist.

Die Hauptstadt des Staates ist la Asunción und besitzt zahlreiche koloniale Baudenkmäler, unter anderen die Kathedrale Mariä Himmelfahrt aus dem 16. Jahrhundert.

Liebevoll nennen die Venezolaner die Insel Margarita die «Perle des Karibischen Meeres». In der Tat verdient sie diese Bezeichnung. Ihre Strände wie Pampatar, El Tirano, El Morro, Punta de Piedra, Pedro González, Arestinga, sowie die Bucht von Juan Griego sind von unvergleichlicher Schönheit. In der letztgenannten Bucht von Juan Griego befindet sich die Festung La Galera, von der aus man die schönsten Sonnenuntergänge bewundern kann.

Aufgrund seiner Insellage ist das Leben von Nueva Esparta auf das Meer und seine traditionellen Erwerbsquellen, wie Fischfang und Handel ausgerichtet. Vormals war die Insel Margarita auch für seinen Schiffsbau bekannt.

Die Abhängigkeit vom Meer bestimmt auch weitgehend das Brauchtum der Insel. Die Volkslieder von Margarita drücken deutlich den poetischen, in die Ferne gerichteten Charakter der Inselbewohner aus. Der Rhythmus ist langsam mit langen Pausen.

Das Meeresbrauchtum findet sich auch in den Festlichkeiten wieder, bei denen Statisten eine Geschichte oder Legende personifizieren, wie zum Beispiel: die «kleine Mauleselin», der «Vogel Guarandol» und der «Sägefisch». In der letztgenannten verbirgt sich der Haupttänzer in einer Schiffsattrappe, ein anderer Tänzer ist als Sägefisch verkleidet und beide stellen tanzend den Fischfang dar. Die Frömmigkeit der Inselbewohner ist sehr intensiv und drückt sich im Kult der «Jungfrau Maria aus dem Tal», der Patronin der Inseln, aus. Man spricht ihr Wunderkräfte zu und die Gläubigen begeben sich zum «Heiligtum der Jungfrau aus dem Tal» um dort ihre Gelübte nach Gebetserhörung zu erfüllen. Die Gesttage sind Tage wahrer Freude, die von der ganzen Insel gefeiert werden.

Der Einwohner von Margarita ist von friedlichem und einfachem Charakter. Er trifft sich mit anderen Inselbewohnern zu langen Gesprächen auf den Strassen als wäre er zuhauss. Sein Verhalten ist so vorbildlich, dass Margarita lange Zeit keine Gefangenen in den Gefängnissen hatte.

Zu all diesen Anziehungspunkten, die Margarita dem Besucher und Touristen bietet, kommt noch der Vorzug des Freihafens von Porlamar. Diese Stadt ist heute ein grosses Geschäftszentrum, in dessen Läden man Waren aus aller Herren Länder billig und steuerfrei kaufen kann.

Der Staat Sucre erhielt seinen Namen zur Erinnerung an den Feldmarschall von Ayacucho, Antonio José de Sucre, der in Cumaná zur Welt kam. Cumaná ist die Hauptstadt des Staates und war die erste Stadt, welche von den Spaniern auf dem Festland im Jahre 1521 gegründet wurde. Sie wurde zunächst «Neu-Toledo» benannt. Ihr jetziger Name geht auf die Cumanagoto-Indios zurück, die in diesem Gebiet gelebt haben. In und um die Stadt befinden schöne Badestrände, sowie zahlreiche historische Denkmäler, von denen besonders die Festung Santa Inés zu nennen ist.. Zwei bekannte Dichter des Landes stammen aus Cumaná: Andrés Eloy Blanco und José Antonio Ramos Sucre. Ein grosser Teil der Nordküste besteht aus zwei grossen Halbinseln. Die Halbinsel Araya dehnt sich gegen Westen und diejenige von Paria nach Osten ins Karibische Meer. Hier befindet sich im Golf von Paria der Hafen, wo an gleicher Stelle am 5. August 1498 Christoph Kolumbus nach seiner dritten Westindienreise den amerikanischen Kontinent zum ersten Mal betreten hat.

Die Halbinsel Araya mit ihrem sehr trockenen, von Erosion ausgewaschenen Boden, ist für die ausgedehnten Salinen bekannt. Das Salz wird hier direkt aus dem Meerwasser gewonnen. Ein von der venezolanischen Filmproduzentin Margot Benacerraf gedrehter Dokumentarfilm, mit dem Titel «Araya», befasst sich mit diesen Salinen und dem täglichen Leben der dort arbeitenden Bevölkerung und hat in Cannes das Prädikat «Bester ausländischer Film» erhalten.

Der Golf von Cariaco liegt zwischen der Halbinsel von Araya und dem Kontinent. Die Stadt Cumaná liegt am Eingang dieses fischreichen Meeresarms. Die Strände des Staates zeichnen sich durch ihr klares und ruhiges Wasser aus. Der rötliche Sand hat einem der schönsten von ihnen, dem «farbigen Strand» (Playa Colorada) seinen Namen gegeben.

Das Meer an der Küste des Staates Anzoátegui ist sehr ruhig und voll kleiner Inseln. Die Strände sind landschaftlich sehr reizvoll gelegen, wie diejenigen von Lechería, Puerto Píritu, Boca de Uchire, Puerto La Cruz und die Bucht von Mochima.

Barcelona, am Ufer des Flusses Neverí, ist die Hauptstadt von Anzoátegui. Sie ist ein wichtiges Handelszentrum der Ostregion des Landes.

Clarines, ein Dorf im Südwesten von Barcelona hat eine schöne Kolonialkirche.

Die Stadt Puerto La Cruz ist der Ölverschiffungshafen dieser Region. Gegenüber den Häfen Guanta und Puerto La Cruz liegen die Inseln Chimana, La Borracha und die «Silberinsel» (Isla de Plata).

Das östliche Gebirge, das in Cumaná beginnt, erstreckt sich nahe der Küste von Anzoátegui und hat daher ein recht gemässigtes Klima. Der Boden eignet sich für den Anbau von Kakao und Kaffee. Das Aussehen der Küste ist ganz verschieden im Vergleich zur Insel Margarita mit ihrer typischen Flachküste.

Der Staat Anzoátegui hat, ebenso wie der Staat Monagas, die kulturellen Eigenheiten der Ostregion und der venezolanischen Ebene (Llanos).

Der Staat Monagas, östlich von Anzoátegui gelegen, umfasst eine grosse, bewaldete Gebirgsregion mit fruchtbaren Tälern, in denen Kaffee, Kakao und Tabak angebaut werden. Ein wichtiges Handelszentrum ist die Hauptstadt Maturin.

In der Sierra von Santa Maria de Curiepe, die zum östlichen Gebirgsmassiv gehört, befindet sich ein Naturwunder, die Höhle von Guácharo. Diese riesige Höhle, welche noch nicht vollständig erforscht ist, hat einen sehr grossen Eingang, der sich in Stollen verzweigt. Die Wände und Decken bestehen aus seltsamen Tropfsteinformationen. Die Höhle bekam ihren Namen durch den Guácharo-Vogel, ein Nachtvogel der sich mit Hilfe eines Lautradarsystems orientiert.

Im Süden des Staates Monagas erhebt sich inmitten einer Ebene das Hochplateau von Guanipa. Das Viehzuchtgebiet der Ebene ist berühmt für seine «casabe» (Kuchen aus Maniokmehl). Sie sind ein nationales Nahrungsmittel und das Brot der Indios.

Die Wirtschaft von Monagas und Anzoátegui beruht vor allem auf der Erdölförderung. Die Entdeckung des Erdöls veränderte den Charakter der Landschaft und Erdölcamps entstanden in einst unbewohnten Gebieten.

Heute hat sich die Bedeutung dieser Vorkommen vermindert. Einige Camps z.B. diejenigen von Jusepín, wurden bereits an die Ostuniversität (Universidad de Oriente) übergeben. Eine Fakultät dieser Universität ist das ozeanographische Institut. Ein wichtiges Zentrum für das Studium und die Erhaltung der reichen Meeresfauna und -flora Venezuelas.

Alfredo Armas Alfonso, ein zeitgenössischer Schriftsteller, hat in seinen Werken Leben und Kultur der Städte des Ostens Venezuelas beschrieben.

Page 93
El mercado de Carúpano.

Carúpano market.

Marché de Carúpano

Der Markt von Carúpano.

Playa Colorada, una de las más famosas.

Playa Colorada, one of the most highly reputed beaches.

"Playa Colorada", l'une des plages les plus réputées.

"Playa Colorada", einer der bekanntesten Strände.

El Parque Nacional de Mochima, entre Barcelona y Cumaná.

Mochima National Park, between Barcelona and Cumana.

Parc National de Mochima entre Barcelona et Cumana.

Der Nationalpark Mochima zwischen Barcelona und Cumana.

Mangos

Mangoes.

Mangues.

Mangofrüchte.

◄ *La Playa de Puipui, en la peninsula de Paria.*

Puipui beach, on the Paria peninsula.

Plage de Puipui, dans la péninsule de Paria.

Der Strand von Puipui auf der Halbinsel von Paria.

Pueblo de pescadores: Pedro González.

The fishing village of Pedro Gonzalez.

Village de pêcheurs de Pedro Gonzalez.

Das Fischerdorf Pedro Gonzalez.

El Morro, un pueblo de Pescadores.

The fishing village of El Morro.

Village de pêcheurs de "El Morro".

← *Das Fischerdorf "El Morro".*

La Bahía de Juan Griego - Isla de Margarita.

The Bay of Juan Griego - Margarita Island.

Baie de Juan Griego - Ile de Margarita.

Die Bucht von Juan Griego - Insel Margarita.

Pesca en la Isla de Margarita.

Fishing off the island of Margarita.

Pêche dans l'île de Margarita.

Fischfang auf der Insel Margarita.

La Playa del Tirano - Isla de Margarita.

El Tirano beach - Isla de Margarita.

Plage de "El Tirano" - Isla de Margarita.

Der Strand von "El Tirano" - Isla de Margarita.

La Isla La Blanquilla.　　　　*Ile de "La Blanquilla".*

Island "La Blanquilla".　　　　*Die Insel "La Blanquilla".*　　　　　　　　*"Los Roques".*

REGION CENTRAL

El recorrido por la región central de Venezuela, debe iniciarse por el Distrito Federal, atravesado a todo lo largo por la Cordillera de la Costa, en medio de la cual se encuentra el Valle de Caracas. En él está Caracas, capital de la República. La ciudad, de privilegiada ubicación en el centro de la República, se extiende al pie del cerro del Avila y de la Silla de Caracas.

"La Sultana del Avila", como han llamado tradicionalmente los poetas al cerro que da a Caracas clima fresco y hermoso paisaje, ha sido testigo de más de cuatro siglos de agitada historia de la ciudad, desde que ésta fue fundada en 1567 por Diego de Losada, en las tierras del valle de los indios Caracas, de la familia de los Caribes. El conquistador español le dio el nombre de "Santiago de León de Caracas". Es ella cuna del Libertador Simón Bolívar, de Francisco de Miranda, Precursor de la Independencia, y de Andrés Bello, el gran humanista, tres hombres cuya memoria guardan con amor los venezolanos.

Hoy Caracas tiene casi tres millones de los habitantes de la población total de Venezuela, estimada cercana a los 13 millones y es el centro de la vida política, económica, social y cultural del país.

"La Caracas de los Techos Rojos", como la llamó el escritor venezolano Enrique Bernardo Núñez, ha ido cediendo terreno, en un proceso urbanístico sin precedentes, a la gran metrópoli, de grandes edificaciones, amplias avenidas e impresionantes autopistas que recorren todos sus puntos. Atraviesa la ciudad la "Cota Mil" (Avenida Boyaca), moderna vía desde donde se puede admirar en toda su extensión. La ciudad conserva, sin embargo, el sabor de aquella Caracas de antaño en algunas de sus hermosas parroquias y en especial en el centro de Caracas, cuya Plaza Bolívar sigue siendo el lugar de conversación y solaz preferido por los caraqueños. Numerosos monumentos históricos, importante patrimonio artístico del país, hablan al visitante de su rico pasado histórico. Los hermosos parques de Caracas, entre ellos el Parque del Este, el de los Caobos y el Parque Nacional El Avila, -a cuyo Pico Avila, situado a 2.100 m. de altura se asciende por teleférico- brindan el necesario sosiego a la intensa actividad diaria de los caraqueños.

La Universidad Central de Venezuela, construída por el afamado arquitecto venezolano Carlos Raúl Villanueva, conocida como la "Ciudad Universitaria", es un gran centro de formación intelectual e irradiación cultural.

Son oriundos de Caracas los afamados escritores Rómulo Gallegos, Arturo Uslar Pietri y Luis Britto García.

Caracas no deja, en fin, nada que desear. En ella se encontrarán infinidad de atracciones turísticas y sus hoteles, restaurantes, lugares de cultura y diversión, la colocan a la altura de las más importantes y atractivas metrópolis del mundo.

A media hora de Caracas, por la excelente autopista Caracas-La Guaira, se llega al Litoral Central, ubicado en el Departamente Vargas, el cual comprende las costas del Distrito Federal. En Maiquetía, a 17 Km. de Caracas, está el Acropuerto Internacional Simón Bolívar.

Las doradas playas del Litoral Central son deleite de caraqueños y turistas que todos los fines de semana acuden a disfrutar de ellas. Entre las más populares están las de Macuto, Caraballeda, Catia La Mar, Camurí Chico, Naiguatá y la Ciudad Vacacional de Los Caracas.

La Guaira, capital del Departamento Vargas es el puerto principal del país. Sus modernas instalaciones contrasten con las antiguas edificaciones coloniales, las empedradas calles y los Fuertes levantados para defender al Litoral del ataque de piratas durante la Colonia.

Rodeando por el sur y por el oeste el Distrito Federal, se encuentra el Estado Miranda, que recibió su nombre en memoria del Generalísimo Francisco de Miranda, "Precursor de la Independencia".

Los Teques, capital del Estado, dista a sólo media hora de Caracas. Es una ciudad de agradable clima, gracias a su situación a 1.180 m. sobre el nivel del mar. Ha experimentado una gran modernización y aumento de su población. Los Teques y los poblados de sus alrededores: San José de los Altos y San Diego, San Antonio de los Altos, Carrizal y San Pedro, tienen parajes tranquilos y muy placenteros para el paseo y la excursión.

Otras poblaciones de Miranda son Chacao, Petare y Los Dos Caminos, integradas el Area Metropolitana de Caracas.

Tal vez lo más extraordinario del Estado Miranda sea el Parque Nacional Guatopo, que abarca 92.642 hectáreas del sur del Estado. Guatopo es un parque paradisíaco, de paisaje montañoso, cubierto de una densa vegetación boscosa. Tiene una bella cascada y límpidas corrientes de agua siendo el refugio natural de la gran riqueza en flora y fauna de la región central del país.

También brinda el Estado una de las playas más populares de Venezuela: Higuerote, abundante en mejillones ("chipichipis y guacucos"). Otras bellas playas, de aguas tranquilas y altos cocoteros son: Chirimena, Puerto Francés, Los Totumos, la Bahía de Buche, Río Chico y Machurucuto. Cerca de Río Chico, está la Laguna de Tacarigua, con salida al mar, rica en especies de la fauna marina.

Completan la región central los importantes Estados Carabobo y Aragua. El Estado Carabobo debe su nombre a la Sabana de Carabobo, próxima a la ciudad de Valencia, en donde, el 24 de junio de 1821, las tropas patriotas, al mando de Simón Bolívar, sellaron la Independencia de Venezuela. Esta fecha se celebra como Fiesta Nacional. Como conmemoración de esta gran jornada histórica, se levantó en el mismo lugar de la Batalla el Monumento de Carabobo, cuya artística construcción guarda las efigies de los Próceres de la Independencia.

La capital del Estado es Valencia, conocida como la "ciudad industrial de Venezuela", por tener el mayor número de industrias del país. Es además, sede de la Universidad de Carabobo y posee un importante Ateneo. Es oriundo de esta ciudad el gran pintor Arturo Michelena.

Tiene Valencia la hermosa Casa de los Celis, edificación colonial hoy declarada monumento nacional. También destaca su Plaza de Toros "La Monumental", la mayor de Venezuela. Cercana a la ciudad está la población de Las Trincheras, en donde se encuentran aguas termales de grandes propiedades curativas.

En el trayecto de la autopista que conduce de Valencia al Campo de Carabobo, se encuentra uno de los lugares de mayor atractivo turístico del Estado: el Safari Carabobo, gran parque natural, en donde pueden ser observadas variadas especies de la fauna, viviendo libres y en su ambiente acostumbrado.

La ciudad de Puerto Cabello es el segundo puerto en importancia del país. Sus largas costas ofrecen playas cálidas de gran belleza como Cumboto, Rincón del Pirata, Palma Sola, Guaicamacuto y Patanemo. En la antigua ciudad de Puerto Cabello, último baluarte de los españoles, se libraron heroicas luchas. De esta época se conservan lugares históricos que forman parte importante del acervo cultural del pueblo venezolano; entre estos el Teatro Municipal, la Casa de la Compañía Guipuzcoana, el Templo de San José y la Iglesia del Santo Rosario. Paseando por Puerto Cabello, el visitante recorrerá la Calle Lanceros, típico callejón colonial, y se deleitará en el hermoso Malecón y en los parques de la ciudad.

A 20 Kms. al oeste de Puerto Cabello, está Morón, en donde se encuentra una importante factoría petroquímica.

El Lago de Valencia, llamado por los indígenas "Tacarigua", abarca territorios del Estado Carabobo y el Estado Aragua. Tiene numerosas islas de bella vegetación, la mayor de las cuales es la Isla de Tacarigua. Las tierras a orillas del Lago son muy fértiles para la agricultura.

El Estado Aragua, atravesado también a todo lo largo por la Cordillera de la Costa, debe su nombre a los fértiles valles regados por el Río Aragua.

Aragua ofrece un atractivo natural imponderable en el Parque Nacional "Henry Pittier", extensa área boscosa, que cubre 90.000 hectáreas, abundantes en manantiales y de clima nublado y lluvioso, propio de la selva húmeda tropical. Es una importante zona protectora de la flora y fauna venezolanas, de las cuales ofrece un hermoso muestrario, destacando las numerosas variedades de orquídea, la flor nacional de Venezuela. Otro importante parque es el "Agustín Codazzi".

La ciudad de Maracay es la capital del Estado. La permanente expansión de su zona industrial hacen de ella un importante centro económico de la región.

Funciona en Maracay la Escuela de Agronomía y la Facultad de Veterinaria, extensiones de la Universidad Central de Venezuela.

En su antigua Plaza de toros, de gran prestigio, se celebran todos los años durante las Ferias de San José, grandes corridas.

Uno de los acontecimientos determinantes en la historia de Venezuela, fue la "Batalla de la Victoria", que tuvo lugar en la ciudad de La Victoria, otrora capital del Estado. En ella el prócer de la Independencia, General José Félix Ribas sostuvo, el 12 de febrero de 1814, una heróica defensa contra los ataques de las tropas realistas, comandadas por Boves. Hoy este día se conmemora en Venezuela como el día de la Juventud.

En el Estado Aragua, se encuentra la "Colonia Tovar", a sólo 60 Kms. de Caracas. Es un pueblo situado entre montañas a una altura de 1.796 m. sobre el nivel del mar, con una temperatura media de 16°C. Sus habitantes son descendientes de un grupo de emigrantes alemanes traídos a Venezuela en el año 1843. Estos han conservado a través del tiempo todos sus rasgos culturales y físicos, lo que hace de la Colonia Tovar, un rincón germánico típico, de gran encanto para el turista. Disfrutará de sus paisajes montañosos, y de la tradicional arquitectura alemana del pueblo, así como de la riquísima comida del lugar.

Al lado de estos parajes montañosos de clima frío, el Estado Aragua extiende sus costas al sol tropical del Caribe. Bahía de Cata y Choroní se cuentan entre las más bellas playas de Venezuela.

La región central tiene expresiones folklóricas de auténtico arraigo popular. En ella se celebran las fiestas en honor a San Juan Bautista. Esta fiesta expresa en música y pantomimas la vertiente cultural negra del pueblo venezolano. El día 24 de junio, el Santo es sacado en procesión y todos los participantes bailan un ritmo afro al son del tambor. Son famosos los "tambores de Barlovento"; en las poblaciones de Guatire y Guarenas se celebra también la Fiesta de San Pedro, cuyo origen se remonta a los tiempos de la Colonia. El Santo sale en procesión y participa en un baile que evoca los bailes de los negros esclavos.

Otra popular danza colectiva es la fiesta de los "Diablos Danzantes", celebrada en el día de Corpus Cristi. Los Diablos se visten de rojo, se cubren la cara con máscaras y realizan una danza convulsiva, que recorre las calles del pueblo hasta llegar a las puertas de la Iglesia, reanudándose seguidamente el baile. En el camino van marcando el paso en cruz, con lo que alegóricamente vencen al demonio. La más popular de las Danzas de los Diablos Danzantes es la que se celebra en San Francisco de Yare.

Estas fiestas, expresión del alma popular de los pobladores de la región central, son de gran colorido y alegría y constituyen una inmensa atracción turística.

THE CENTRAL REGION

The tour of the central region of Venezuela begins in the Federal District, which is crossed lengthwise by the coastal range, in the middle of which is the Valley of Caracas, where stands Caracas itself, the capital of the Republic. The city enjoys a privileged situation in the centre of the country; it lies at the foot of Mount Avila and the Avila Saddle.

Poets have traditionally called it 'the Sultan of Avila'. It provides Caracas with a cool climate and attractive scenery, and has witnessed more than four centuries of the city's tumultuous history since it was founded in 1567 by Diego de Losada on land in the valley belonging to the Caracas Indians, who were Caribs. The Spanish conquistadores called it Santiago de Leon de Caracas. It was the birthplace of the liberator, Simon Bolivar, of Francisco de Miranda, the precursor of independence, and of Andres Bello, the great humanist - three men whose memory Venezuelans passionately revere.

Today, Caracas has a population of nearly three million; the total population of Venezuela is estimated at about thirteen million. Caracas is the centre of the political, economic, social and cultural life of the country.

Caracas with its red roofs, as it was described by the Venezuelan writer Enrique Bernardo Nuñez, has given way, in an unprecedented process of urban growth, to the present-day metropolis with its large buildings, wide avenues and impressive motorways. The Avenida Boyaca which runs through the city is a modern thoroughfare from which the entire city may be admired. But the city nevertheless retains the flavour of the Caracas of former days in some of its quarters, and especially in the centre, where the Plaza Bolivar is still the preferred spot of the city's inhabitants. Many historic buildings and monuments form part of the country's artistic and architectural heritage and evoke its rich history. Caracas also has a number of fine parks, among them the Parque del Este, the Parque de los Caobos, and the Parque Nacional El Avila - from where it is possible to take a cable car to the Cerro Avila at an altitude of 2,100 metres.

The Central University of Venezuela, built by the celebrated Venezuelan architect Carlos Raul Villanueva and known as the University City, is a major centre of learning and of cultural influence.

The well-known writers, Romulo Gallegos, Arturo Uslar Pietri and Luis Britto Garcia are natives of Caracas.

There is no lack of things to see and do in Caracas. Its many tourist attractions and its hotels, restaurants, places of entertainment and of cultural interest make it one of the world's most important and attractive cities. Half an hour from Caracas by the Caracas-La Guaira motorway is the Littoral Central, located in the Vargas district, which embraces the sea coast of the Federal District. The Simon Bolivar International Airport is at Maiquetia, seventeen kilometres from Caracas.

The beaches of the central coast are very popular with the inhabitants of Caracas as well as with tourists, who flock there every weekend. Among those especially favoured are Macuto, Caraballeda, Catia La Mar, Camuri Chico, Naiguata, and the vacation resort of Los Caracas.

La Guaira, capital of the district of Vargas, is the principal seaport of the country. Its modern installations contrast with the old Colonial buildings, the cobbled streets, and the forts built to defend the coast from the attacks of pirates in the Colonial era.

Bounded to the South and West by the Federal District, the State of Miranda was named after Generalissimo Francisco de Miranda, the precursor of independence.

Los Teques, capital of the State, is only half an hour from Caracas. It enjoys a pleasant climate, lying as it does 1,180 metres above sea level. The town has been greatly modernized and its population has increased considerably. Los Teques and its surrounding townships, San José de los Altos and San Diego, San Antonio de los Altos, Carrizal and San Pedro, offer quiet and pleasant walks and excursions.

Chacao, Petare and Los Dos Caminos are other localities in the State of Miranda which have been integrated into Greater Caracas.

The Guatopo National Park is perhaps the most remarkable spot in the State of Miranda. It covers 92,642 hectares in the South of the State and is a mountainous and densely wooded area. There is a beautiful waterfall and a number of clear brooks which provide a natural habitat for the rich flora and fauna of the central region of the country.

The State also has one of the most popular beaches in Venezuela: Higuerote, where mussels, as chipichipis and guacucos, abound. There are other fine beaches too, lapped by calm waters and lined by high coconut palms: Chirimena, Puerto Frances, Los Totumos, la Bahia de Buche, Rio Chico and Machurucuto. Near Rio Chico is the Lagoon of Tacarigua, which is open to the sea and has a wealth of marine fauna.

The important States of Carabobo and Aragua also lie in the central region. The State of Carabobo owes its name to the Carabobo savannah, near the town of Valencia, where on 24 June 1821, the nationalist troops under the command of Simon Bolivar achieved the independence of Venezuela. This date is now celebrated as a national holiday. In commemoration of this historic day, the Carabobo monument has been built on the site of the battle; it bears the effigies of the great men of independence.

The capital of the State is Valencia. It is the most industrial city in Venezuela, with more industries than any other town in the country. It is also the seat of the University of Carabobo and has an important athenaeum. The great painter Arturo Michelena was born there.

Also in Valencia is the fine house of the Celis, a colonial building which is now a national monument. Also worth seeing is the bullfight arena, the biggest in Venezuela. Near Valencia is Las Trincheras, a spa resort whose waters have curative properties.

The motorway between Valencia and Campo de Carabobo passes near an attractive tourist spot: the Safari Carabobo, a large natural reserve where various species of animals roam at liberty in their accustomed environment.

Puerto Cabello is the second port of Venezuela. Its long coastline boasts beautiful warm beaches like Cumboto, Rincon del Pirata, Palma Sola, Guaicamacuto and Patanemo. The old town of Puerto Cabello, the last bastion of the Spaniards, was the scene of epic struggles. Historic buildings forming part of the cultural heritage of the Venezuelan people have been preserved, among them the Municipal Theatre, the house of the Company of Guipuzcoa, the Temple of San José and the church of Santo Rosario. The visitor should also take a stroll along the Calle Lanceros, a typical Colonial street, on the jetty, and in the parks of the town.

Moron lies 20 kilometres West of Puerto Cabello and is the site of an important petrochemical plant.

Lake Valencia, called Tacarigua by the natives, is shared between the State of Carabobo and the State of Aragua. On the lake are numerous islands covered with lush vegetation, the biggest of them being Tacarigua Island. The land on the shores of the lake is very fertile.

The State of Aragua, also crossed by the coastal Cordillera, owes its name to the fertile valleys watered by the River Aragua.

Aragua offers an unrivalled natural attraction in the shape of its Henry Pittier National Park, an immense wooded expanse covering 90,000 hectares where springs abound and where the climate is stormy and rainy, as in the humid tropical forest. It is an important reserve for the protection of Venezuelan flora and fauna, of which it contains a fine variety, including numerous species of orchids, Venezuela's national flower. Another large park is the Agustin Codazzi Park.

Maracay is the capital of the State. The continued expansion of its industrial zone makes it an important economic centre.

The School of Agronomy and the Veterinary Faculty, extensions of the Central University of Venezuela, are located in the town.

During the Festivals of San José, major bullfights are held every year in its old arena.

One of the decisive events in the history of Venezuela was the Battle of La Victoria, which took place in the town of La Victoria, formerly the capital of the State. A great man in the struggle for independence, General José Felix Ribas, put up a heroic defence on 12 February 1814 against attacks of the Royalist troops commanded by Boves. The date is now commemorated in Venezuela as Youth Day.

The Tovar Colony is situated in the State of Aragua, only 60 kilometres from Caracas. It is a village lying among the mountains at an altitude of 1,796 metres above sea level, where the mean temperature is 16°C. Its inhabitants are the descendants of a group of German emigrants who came to Venezuela in 1843. Over the years they have retained their cultural and physical characteristics, making the Tovar Colony a typical German locality of considerable tourist interest. The mountain scenery is attractive, as is the traditional German architecture and the delightful local food specialities.

In contrast to these cold mountainous localities, the State of Aragua has a sunny tropical coastline bordering the Caribbean. Bahia de Cata and Choroni rank among the finest beaches in Venezuela.

The Central Region can offer authentic popular folklore events such as festivals in honour of Saint John the Baptist. In music and mime, these festivals reflect the Venezuelan penchant for Negro culture. On 24 June the effigy of the Saint is carried along in a procession and all the participants dance to an African rhythm beaten out on drums. The drums of Barlovento are famous; in Guatire and Guarenas the Festival of San Pedro is celebrated; its origins date back to Colonial times. Here again, the Saint is carried along in a procession and the dances are evocative of those of the Negro slaves.

Another popular dance is performed at the festival of the "dancing devils", held on the day of Corpus Christi. The devils are dressed in red and wear masks; they dance through the village streets up to the doors of the church. On the way, they mark time and form themselves into a cross, indicating that the demon is vanquished. The most popular of these dancing devils celebrations takes place at San Francisco de Yare.

These fêtes, popular manifestations of the central region, are gay and colourful, and constitute a major tourist attraction.

REGION CENTRALE

Le parcours de la région centrale du Vénézuéla doit commencer par le District Fédéral, traversé dans toute sa longueur par la chaîne côtière au milieu de laquelle se trouve la Vallée de Caracas. Là s'élève Caracas, la capitale de la République. La ville a une situation privilégiée, au centre du pays et s'étend au pied de la colline de l'Avila et de la Plate-Forme de Caracas.

« La Sultane de l'Avila », c'est ainsi que les poètes ont traditionnellement appelé la colline, offre à Caracas un climat frais et un beau paysage ; elle a été le témoin de plus de quatre siècles de l'histoire agitée de la ville : celle-ci a été fondée en 1567 par Diego de Losada, sur les terres de la vallée des indiens Caracas, de la famille des Caribes. Le conquérant espagnol lui donna le nom de « Santiago de Leon de Caracas ». Elle est le berceau du Libérateur Simon Bolivar, de Francisco de Miranda, précurseur de l'Indépendance et de Andres Bello, le grand humaniste ; les Vénézuéliens gardent passionnément le souvenir de ces trois grands hommes.

Aujourd'hui, Caracas a presque trois millions d'habitants, la population total du Vénézuéla ayant été estimée à environ 13 millions. C'est le centre de la vie politique, économique, sociale et culturelle du pays.

« La Caracas aux Toits Rouges », ainsi que l'a appelé l'écrivain vénézuélien Enrique Bernardo Nunez, a cédé du terrain, en un processus d'évolution d'urbanisme sans précédent, à la grande métropole aux grands immeubles, aux larges avenues et aux impressionnantes autoroutes qui la parcourent en tous points. La « Cote Mille » (avenue Boyaca) traverse la ville, artère moderne d'où l'on peut admirer toute son étendue. La ville conserve, cependant, la saveur d'antan dans quelques-uns de ses beaux quartiers et dans son centre particulièrement. La Place Bolivar est toujours le lieu de conservation et de distraction préféré des habitants de Caracas. De nombreux monuments historiques, important patrimoine artistique du pays, évoquent, pour le visiteur, son riche passé historique. Les beaux parcs de Caracas, parmi lesquels le Parc de l'Est, celui des Caobos et le Parc National El Avila - d'où l'on peut monter, par le téléférique, au Pic Avila, situé à 2 100 m - offrent le repos nécessaire à l'intense activité journalière des habitants.

L'Université Centrale du Vénézuéla, construite par le célèbre architecte vénézuélien Carlos Raul Villanueva, et connue comme la « Cité Universitaire » est un grand centre de formation intellectuelle et de rayonnement culturel.

Les fameux écrivains Romulo Gallegos, Arturo Uslar Pietri et Luis Britto Garcia sont originaires de Caracas.

Caracas, enfin, ne laisse rien à désirer. On y trouvera une infinité d'attractions touristiques et ses hôtels, restaurants, lieux de culture et de divertissement, la placent à la hauteur des plus importantes et des plus attrayantes métropoles du monde.

A une demie heure de Caracas, par l'excellente autoroute Caracas-La Guaira, on arrive au littoral central qui se trouve dans le district de Vargas, (lequel renferme les côtes du District Fédéral). L'aéroport International Simon Bolivar est à Maiquetia, à 17 km de Caracas.

Les plages dorées du littoral central font le délice des gens de Caracas et des touristes qui toutes les fins de semaine s'y précipitent. Parmi les plus populaires, il y a celles de Macuto, Caraballeda, Catia La Mar, Camuri Chico, Naiguata et la ville de vacances de « Los Caracas ».

La Guaira, capitale du District de Vargas est le principal port du pays. Ses installations modernes contrastent avec les vieilles constructions coloniales, les rues pavées et les fortins construits pour défendre le littoral de l'attaque des pirates à l'époque coloniale.

Limité au sud et à l'ouest par le District Fédéral, la province de Miranda reçut son nom en mémoire du Généralissime Francisco de Miranda, « Précurseur de l'Indépendance ».

Los Teques, capitale de la province, n'est qu'à une demie heure de Caracas. C'est une ville au climat agréable grâce à sa situation élevée (1 180 m au-dessus du niveau de la mer). Elle a connu une grande modernisation et une augmentation de sa population. Los Teques et les agglomérations des alentours : San José de los Altos et San Diego, San Antonio de los Altos, Carrizal et San Pedro, ont des environs tranquilles et très agréables pour la promenade et l'excursion.

Chacao, Petare et Los Dos Caminos sont d'autre agglomérations de Miranda, intégrées à la Métropole de Caracas.

Le Parc National Guatopo est peut-être l'endroit le plus extraordinaire de la province du Miranda. Il couvre 92 642 hectares au sud de l'Etat. Guatopo est un paradis au paysage montagneux, couvert d'une dense végétation boisée. Il a une belle cascade et de limpides ruisselets qui sont un refuge naturel pour la flore et la faune riches de la région centrale du pays.

Cette province offre également l'une des plages les plus populaires du Vénézuéla : Higuerote, où abondent les moules, chipichipis et guacucos. Il existe aussi d'autres belles plages, aux eaux tranquilles plantées de hauts cocotiers : Chirimena, Puerto Frances, Los Totumos, la Baie de Buche, Rio Chico et Machurucuto. Près de Rio Chico se trouve la Lagune de Tacarigua, ouverte sur la mer et la faune marine et très riche.

Les importants Etats de Carabobo et Aragua complètent la région centrale. L'Etat de Carabobo doit son nom à la Savane de Carabobo, proche de la ville de Valencia, où, le 24 juin 1821, les troupes nationalistes, sous le commandement de Simon Bolivar, imposèrent l'Indépendance du Vénézuéla. Cette date est célébrée comme une fête nationale. En commémoration de ce grand jour historique, on éleva, sur le lieu même de la bataille, le monument de Carabobo dont la construction conserve les effigies des grands hommes de l'Indépendance.

La capitale de l'Etat est Valencia. C'est la ville la plus industrielle du Vénézuéla, parce qu'elle abrite le plus grand nombre d'industries du pays. Elle est, en outre, le siège de l'Université de Carabobo et possède un important Athénée. Le grand peintre Arturo Michelena est originaire de cette ville.

Valencia abrite la belle « Maison des Celis », construction coloniale déclarée aujourd'hui monument national. Il faut remarquer aussi ses arènes, les « Monumentales », les plus grandes du Vénézuéla. Près de Valencia se trouve Las Trincheras, ville d'eaux thermales aux grandes propriétés curatives.

Sur le trajet de l'autoroute qui conduit de Valence au Champ de bataille de Carabobo, on traverse l'un des lieux les plus attrayants au point de vue touristique : le Safari Carabobo, grand parc naturel où l'on peut observer les espèces variées de la faune qui vivent libres dans leur environnement naturel.

La ville de Puerto Cabello est le deuxième port du pays. Ses longues côtes offrent des plages chaudes d'une grande beauté, comme Cumboto, Rincon del Pirata, Palma Sola, Guaicamacuto et Patanemo. Vieille ville de Puerto Cabello, dernier bastion des Espagnols, vit se livrer des combats héroïques. De cette époque ont été conservés des lieux historiques, ils font partie du patrimoine culturel du peuple vénézuélien ; parmi ceux-ci, le théâtre municipal, la Maison de la Compagnie de Guipuzcoa, le Temple de San José et l'Eglise de San Rosario. En se promenant dans Puerto Cabello, le visiteur peut parcourir la rue Lanceros, typique ruelle coloniale, il se plaira sur la belle jetée et dans les parcs de la ville.

Moron est à 20 km à l'ouest de Puerto Cabello, on y trouve une importante usine pétrochimique. Le lac de Valencia, appelé « Tacarigua » par les indigènes, couvre les territoires de l'Etat de Carabobo et d'Aragua. Il a de nombreuses îles abritant une belle végétation, la plus grande est l'Ile de Tacarigua. Les terres du bord du Lac sont très fertiles.

L'Etat d'Aragua, traversé également de tout son long par la Cordillère côtière, doit son nom aux vallées fertiles irriguées par le fleuve Aragua.

Aragua offre un attrait naturel inégalable avec son parc national « Henry Pittier », immense étendue boisée, qui couvre 90 000 hectares où abondent les sources, avec un climat pluvieux, propre à la forêt tropicale humide. C'est une importante zone conservatrice de la flore et de la faune vénézuéliennes, elle en offre un large échantillon parmi lesquelles se détachent les nombreuses variétés d'orchidées, la fleur nationale du Vénézuéla. Un autre parc important est celui de « Agustin Codazzi ».

La ville de Maracay est la capitale de la province. L'expansion permanente de sa zone industrielle en fait un centre économique important.

L'école d'Agronomie et la Faculté d'études Vétérinaires, extensions de l'Université Centrale du Vénézuéla, se sont installées dans la ville.

Dans ses vieilles arènes prestigieuses, ont lieu tous les ans, pendant les fêtes de San José, de grandes corridas.

L'un des événements déterminants de l'histoire du Vénézuéla fut la « Bataille de la Victoire », qui eut lieu dans la ville de La Victoria, autrefois capitale de la province. Un grand homme de l'Indépendance, le Général José Félix Ribas y soutint, le 12 février 1814, une héroïque défense contre les attaques des troupes royalistes, commandées par Boves. Aujourd'hui, ce jour est commémoré au Vénézuéla comme le jour de la Jeunesse.

La « Colonie Tovar » est située dans l'Etat d'Aragua, à seulement 60 km de Caracas. C'est un village niché entre les montagnes, à 1 796 m au-dessus du niveau de la mer, avec une température moyenne de 16° C. Ses habitants sont les descendants d'un groupe d'émigrants allemands arrivés au Vénézuéla en 1843. Ils ont conservé, au fil des temps, toutes leurs caractéristiques culturelles et physiques, ce qui fait de la Colonie Tovar un lieu germanique typique, très attrayant pour le touriste. Il se délectera de ses paysages montagneux, de la traditionnelle architecture allemande ainsi que de la très réputée gastronomie d'outre Rhin.

A côté de ces lieux montagneux au climat froid, la province d'Aragua étale ses côtes au soleil tropical des Caraïbes. Bahia de Cata et Choroni sont comptées parmi les plus belles plages du Vénézuéla.

La région centrale conserve des manifestations folkloriques de pure source populaire, dont les principales sont les fêtes en l'honneur de Saint Jean Baptiste. Cette fête exprime, en musique et en pantomimes le penchant culturel noir du peuple vénézuélien. Le 24 juin, le Saint est exhibé en procession et tous les participants dansent sur un rythme africain au son du tambour. Les « Tambours de Barlovento » sont fameux ; à Guatire et Guarenas on célèbre aussi la Fête de San Pedro, dont l'origine remonte au temps de la Colonie. Le Saint précède la procession et participe à une danse qui évoque celles des esclaves noirs.

Une autre danse populaire collective est la fête des « Diables Dansants », célébrée le jour du Corpus Christi. Les Diables s'habillent de rouge et se couvrent le visage de masques et exécutent une danse délirante, en parcourant les rues du village pour arriver aux portes de l'église, et la danse recommence aussitôt. En chemin, ils marquent le pas en formant une croix, par laquelle, allégoriquement le démon est vaincu. La plus populaire des danses des Diables Dansants se célèbre à San Francisco de Yare.

Ces fêtes, expression de l'âme populaire des agglomérations de la région centrale, sont très colorées et joyeuses et constituent une grande attraction touristique.

DIE ZENTRALREGION

Eine Rundreise durch das Landesinnere Venezuelas sollte im Bundesdistrikt beginnen, der in seiner ganzen Länge von der Küstenkordillere durchzogen wird, in deren Mitte sich das Tal von Caracas befindet. Hier liegt in günstiger und zentraler Lage Caracas, die Hauptstadt der Republik, auf der Hochebene von Caracas und am Fusse des Avilaberges.

Die Dichter nannten diesen Berg traditionell «Die Sultanin des Avila». Er verhilft Caracas zu einem frischen Klima und belebt die Landschaft. Seit der Gründung von Caracas im Jahre 1567 durch Diego de Losada im Tal der Caracas-Indios, die der Völkerfamilie der Karaiben angehörten, ist der Berg Zeuge der wechselhaften Geschichte von Caracas gewesen. Der spanische Eroberer gab der Stadt den Namen «Santiago de León de Caracas». Hier stand die Wiege des Landesbefreiers Simón Bolívar, die Wiege von Francisco Miranda, eines Vorkämpfers für die nationale Unabhängigkeit und von Andrés Bello, dem grossen Humanisten. Die Venezolaner gedenken dieser drei Männer mit leidenschaftlicher Verehrung.

Heute hat Caracas fast drei Millionen Einwohner, bei einer Gesamtbevölkerung Venezuelas von ungefähr 13 Millionen Menschen. Die Stadt ist das Zentrum des politischen, wirtschaftlichen, sozialen und kulturellen Lebens des Landes.

Das alte «Caracas mit den roten Dächern», wie es der venezolanische Schriftsteller Enrique Bernardo Nuñez nannte, hat im Laufe einer städtebaulichen Entwicklung ohne Beispiel einer grossen Metropole Platz gemacht, die von breiten Strassen und beeindruckenden Autobahnen vielfach durchzogen wird. Die «Cota Mil» (Boyaca Avenue), eine Schnellstrasse, von der aus man die Stadt in ihrer ganzen Ausdehnung bewundern kann, durchquert Caracas im Norden. Nichtsdestoweniger hat Caracas in seinen residenziellen Stadtteilen, vor allem im Stadtzentrum, sich etwas von der Atmosphäre jenes alten Caracas bewahrt. Der Bolivarplatz im Zentrum ist immer noch ein bevorzugter Ort, wo die Einwohner der Stadt Gespräch und Abwechslung suchen. Zentraluniversität von Venezuela, bekannt als «Universitätsstadt», ist ein grosses Zentrum geistiger Bildung von bedeutender kultureller Ausstrahlungskraft.

gehören der Ostpark «Parque del Este», der Mahagonipark «Parque Los Caobos», sowie der Nationalpark «El Avila», von dem aus man mit der Seilbahn zum Gipfel des Pico Avila gelangt. Die Parks bieten den Einwohnern der Stadt die nötige Entspannung von ihrer intensiven täglichen Arbeit.

Die von dem berühmten venezolanischen Architekten Carlos Raúl Villanueva erbaute Zentraluniversität von Venezuela, bekannt als «Universitätsstadt», ist ein grosses Zentrum geistiger Bildung von bedeutender kultureller Ausstrahlungskraft.

Die bekannten Schriftsteller Rómulo Gallegos, Arturo Uslar Pietri und Luis Britto García kamen in Caracas zur Welt. Caracas lässt keinen Wunsch offen. Man findet dort eine Vielzahl touristischer Anziehungspunkte. Mit seinen Hotels, Restaurants, Kultur- und Vergnügungszentren steht es gleichberechtigt neben den bedeutendsten und anziehendsten Metropolen der Welt.

Nach einer halbstündigen Fahrt auf der ausgezeichneten Autobahn Caracas-La Guaira, erreicht man die Zentralküste, welche sich im Vargas-Bezirk befindet. Letzterer umfasst die Küsten des Bundesdistrikts. Der internationale Flughafen «Simón Bolívar» befindet sich in Maiquetía, 17 km von Caracas entfernt.

Die goldfarbenen Strände der Zentralküste gehören zu den Hauptattraktionen für die Einwohner und die Touristen. Alles eilt am Wochenende zum Strand. Zu den populärsten Stränden gehören die von Macuto, Caraballeda, Catia la Mar, Camurí Chico, Naigatá und die Ferienstadt Los Caracas.

La Guaira, die Hauptstadt des Vargas-Bezirks, ist der wichtigste Hafen des Landes. Seine modernen Gebäude und Einrichtungen bilden einen lebendigen Gegensatz zu seinen alten Kolonialbauten, den Pflasterstrassen, und den Befestigungen, welche das Ufer gegen die Angriffe von Piraten in der Kolonialepoche verteidigen sollten.

Der im Süden und Westen an den Bundesdistrikt angrenzende Bundesstaat Miranda erhielt seinen Namen in Erinnerung an den Kommandierenden General Miranda, einem Vorkämpfer für die nationale Unabhängigkeit. Los Teques, die Hauptstadt dieses Staates, liegt nur eine halbe Stunde von Caracas entfernt, und hat wegen ihrer Höhenlage (1.180 m über dem Meere) ein angenehmes Klima. Sie modernisierte sich stark durch die schnell wachsende Einwohnerzahl. Los

Teques und die umliegenden Ortschaften, wie San José de los Altos, San Diego, San Antonio de los Altos, sowie Carrizal und San Pedro haben ein sehr angenehme und ruhige Umgabung, die zu Spaziergängen und Ausflügen einlädt.

Chacao, Petare und Los Dos Caminos sind andere Ortschaften im Staat Miranda, die in die Metropole Caracas eingegliedert wurden.

Der Nationalpark Guatopo ist vielleicht das bemerkenswerteste Gebiet des Staates Miranda. Er umfasst eine Fläche von 92.642 Hektar im Süden des Staates. Guatopo ist ein Paradies inmitten der Gebirgslandschaft, mit einem dichten Waldbestand. Dort findet der Wanderer schöne Wasserfälle und klare Bäche, die eine natürliche Wasserreserve für die reiche Fauna und Flora Zentralvenezuelas darstellen.

Im Staate Miranda liegt ebenfalls einer der beliebtesten Strände Venezuelas: Higuerote, wo Muscheln («chipichipis und guacucos») reichlich vorkommen. Dort findet man auch andere schöne, von Kokospalmen gesäumte Strände mit ruhigem Wasser: Chirimena, Puerto Francés, Los Totumos, la Bahía de Buche, Río Chico und Machurucuto. In der Nähe von Río Chico liegt die zum Meer hin offene Lagune von Tacarigua mit ihrer ausserordentlich reichen Meeresfauna.

Die wichtigen Staaten Carabobo und Aragua vervollständigen den mittleren Teil Venezuelas. Der Name des Staates Carabobo stammt von der Savanne Carabobo, in der Nähe der Stadt Valencia, wo am 24. Juni 1821 die nationalen Truppen unter der Führung von Simón Bolívar die nationale Unabhängigkeit erkämpften. Das Datum des 24. Juni 1821 wird als Nationalfeiertag gefeiert. In Erinnerung an diesen historischen Tag errichtete man auf dem Schlachtfeld das Denkmal von Carabobo, welches die Gestalten der grossen Kämpfer für die nationale Unabhängigkeit darstellt.

Die Hauptstadt des Staates ist Valencia, die «meistindustrialisierte Stadt Venezuelas», denn sie beherbergt die grösste Anzahl von Fabriken des Landes. Hier befindet sich ebenfalls der Sitz der Universität von Carabobo und ein bedeutendes «Athenäum». Der grosse Maler Arturo Michelena stammt aus Valencia.

In Valencia befindet sich das schöne «Haus der Celis», ein Kolonialbau, der heute unter Denkmalschutz steht. Erwähnenswert ist auch die Stierkampf-Arena von Valencia. Sie ist die grösste Arena des Landes und wird die «Monumentale» genannt. In der Nähe liegt der Ort Las Trincheras mit seinen Thermalquellen, denen eine bedeutende Heilwirkung zugeschrieben wird.

Nahe der Autobahn, die von Valencia zum Schlachtfeld von Carabobo führt, befindet sich eine der anziehendsten touristischen Sehenswürdigkeiten: der Safaripark Carabobo. In diesem grossen Naturpark kann der Besucher Tiere beobachten, die dort frei in ihrer natürlichen Umgebung leben.

Die Stadt Puerto Cabello its der zweitwichtigste Hafen des Landes. Die langen Küsten dieser Stadt bieten warme Strände von grosser Schönheit, wie Cumboto, Rincón del Pirata, Palma Sola, Guaicamacuto und Patanemo. Die Altstadt von Puerto Cabello, die letzte Bastion der Spanier, war Zeuge heroischer Kämpfe. Aus dieser Zeit stammen die historischen Stätten, die zum kulturellen Erbe des venezolanischen Volkes gehören: das Stadttheater, das Haus der Guipuzcoa Compagnie, das Gotteshaus San José und die Kirche Santo Rosario. Ein Rundgang durch die Stadt führt den Besucher durch die «Lanceros-Strasse», ein typisches Kolonialgässchen zur schön gelegenen Hafen-Mole und in gepflegte Parkanlagen.

In Morón, 20 km westlich von Puerto Cabello, befindet sich eine der bedeutendsten chemischen Industrieanlagen.

Der von den eingeborenen Indios «Tacarigua» genannte Valenciasee erstreckt sich über weite Gebiete der Staaten Carabobo und Aragua. Die an den See angrenzenden Ländereien sind fruchtbare Ackerbaugebiete. Im See befinden sich zahlreiche Inseln mit üppiger Vegetation, deren grösste Tacarigua heisst.

Den Staat Aragua durchzieht die Küstenkordillere auf seiner ganzen Länge. Den Namen hat der Staat nach dem Fluss Aragua erhalten, der die umliegenden Täler bewässert und sie zu einem der fruchtbarsten Ackerbaugebiete des Landes macht.

Der Nationalpark «Henti Pittier» im Staate Aragua mit seinen riesigen Waldflächen und einer Ausdehnung von 90.000 Hektar, zahlreichen Quellen, seinem feuchtwarmen, regenreichen und gewittrigen Klima - charakteristisch für den tropischen Nebelwald - ist ein beliebtes Ziel für Naturliebhaber und Wissenschaftler. Der Park ist ein bedeutendes Tier- und Pflanzenschutzgebiet und bietet viele Beispiele der venezolanischen Fauna und Flora. Besonders zahlreich sind die vielen Arten von Orchideen, der Nationalblume Venezuelas. Ein weiterer wichtiger Naturschutzpark im Staate Aragua ist nach dem Naturforscher Augustin Codazzi benannt.

Die Hauptstadt des Staates ist Maracay, ein wichtiges Wirtschaftszentrum des Landes. Hier befinden sich eine Schule für Landwirtschaft und die Fakultät für Tierheilkunde der Zentraluniversität in Caracas. In der traditionsreichen Stierkampfarena finden alljährlich zum Sankt Josephfest grosse Stierkämpfe statt.

Die ehemalige Hauptstadt von Aragua war La Victoria und hier fand eine der Entscheidungskämpfe der Befreiungskriege statt. General José Felix Ribas, einer der bekannten Freiheitskämpfer, wehrte hier heroisch die Angriffe der von Boves kommandierten royalistischen Truppen ab und entschied diese Schlacht am 12. Februar 1814 zugunsten seiner Truppen. Die meisten an diesem Kampf Beteiligten waren Jugendliche und aus diesem Grund wird dieser Tag in Venezuela als der «Tag der Jugend» gefeiert.

Die «Kolonie Tovar», ebenfalls im Staate Aragua, liegt nur 60 km von Caracas entfernt inmitten einer immergrünen Berglandschaft, in einer Höhe von 1.796 m. Die durchschnittliche Temperatur beträgt hier 16°C. Seine Einwohner sind Nachkommen einer deutschen Einwanderergruppe aus dem Jahre 1843. Sie wurden damals von dem Geographen und General Augustin Codazzi hierhergebracht, haben den Ort im Stil ihrer früheren Heimat aufgebaut und bis heute ihre kulturellen und äusseren Merkmale bewahrt. Der Besucher ist erstaunt in dieser Gegend Fachwerkbauten und traditionelle deutsche Speisen vorzufinden.

Nicht weit von dieser kühlen Gebirgslandschaft erstrecken sich die einladenden Badestrände der Karibik. Cata und Choroní gehören zu den schönsten Venezuelas.

Die Zentralregion kennt folkloristische Veranstaltungen, die urtümlicher Volkstradition und Überlieferung entspringen. Besonders wird das Fest Johannes des Täufers gefeiert. Wenn am 24. Juni die Statue des Heiligen in feierlicher Prozession herumgeführt wird, tanzen alle Teilnehmer nach dem afrikanischen Rhythmus der Trommeln, die unter dem Namen «Trommeln von Barlovento» bekannt geworden sind. In den Städten Guatire und Guarenas wird seit der Kolonialzeit am Feiertag des Heiligen Petrua die Figur des Heiligen in einer Prozession getragen und nimmt sogar an einem Tanz teil, der an die Tänze der schwarzen Sklaven erinnert.

Das Fest der «Tanzenden Teufel» ist ein anderes mit Gemeinschaftstänzen. Es wird am Fronleichnamstag gefeiert. Die Tänzer ziehen rote Kleidung an, bedecken Kopf und Gesicht mit grossen farbigen Teufelsmasken und durchziehen den ganzen Tag das Dorf bis vor den Kircheneingang, wo dann die Tänze fortfahren. Auf ihrem Weg halten sie öfter sein und tanzen Figuren in Form eines Kreuzes, was allegorisch den Sieg über den Dämon bedeuten soll. Das populärste Fest dieser Art findet in San Francisco de Yare statt.

Alle diese Festlichkeiten und folkloristischen Darbietungen sind eine Attraktion für Touristen, die das Land an diesen Tagen besuchen.

CARACAS

Page 126

Retrato de Simón Bolívar, por Juan Antonio Michelena, 1852.

Portrait of Simón Bolívar painted by Juan Antonio Michelena, 1852.

Le portrait de Simón Bolívar peint par Juan Antonio Michelena, 1852.

Gemälde von Simón Bolívar, gemalt von Juan Antonio Michelena, 1852.

Page 127

Casa natal del Libertador Simón Bolívar.

The house where Simón Bolívar was born.

La maison natale de Simón Bolívar.

Geburtshaus des Befreiers Simón Bolívar.

Caracas se ha convertido en una ciudad moderna de arquitectura futurista.

Caracas has grown into a modern town with futuristic architecture.

Caracas s'est convertie en une ville moderne à l'architecture futuriste.

Caracas ist eine moderne Stadt mit futuristischer Architektur geworden.

El Centro Ciudad Comercial Tamanaco, uno de los números Centros Comerciales de Caracas.

"Centro Ciudad Comercial Tamanaco", one of the many shopping centres of Caracas.

Parmi les nombreux centres commerciaux de Caracas, celui de "Centro Ciudad Comercial Tamanaco".

Eines der zahlreichen Einkaufszentren von Caracas, das "Centro Ciudad Comercial Tamanaco".

La cocina del Museo Colonial Quinta Anauco.

The kitchen in the Villa Anauco Colonial Museum.

La cuisine du Musée Colonial de la Villa Anauco.

Die Küche im Kolonial-Museum der Villa Anauco.

El Pantheón, donde descansan los restos del Libertador Simón Bolívar y de los héroes nacionales.

The Pantheon, containing the mortal remains of the liberator Simón Bolívar and other national heroes.

Le Pantheon où reposent les restes du Libérateur Simón Bolívar et des héros nationaux.

Das Pantheon wo die Überreste des Befreiers Simón Bolívar und anderer Nationalhelden ruhen.

El Hipódromo La Rinconada.

La Rinconada racetrack.

Hippodrome la "Rinconada".

Das Hippodrom "Rinconada".

La Colonia Tovar, un pintoresco pueblo de estilo alemán a 60 kms. de Caracas.

60 km from Caracas, the picturesque Colonia Tovar, in Bavarian architectural style.

A 60 km de Caracas, la pittoresque "Colonia Tovar" d'architecture bavaroise.

60 Km von Caracas entfernt, liegt die malerische "Colonia Tovar" bayrischer Architektur.

La Guaira. ➤

Viasa, con su moderna flota, une Venezuela con el resto del mundo.

Viasa, with its modern fleet, links Venezuela with the rest of the world.

Viasa, avec sa flotte moderne, relie le Venezuela au reste du monde.

Viasa mit seiner modernen Flotte, verbindet Venezuela mit der übrigen Welt.

La Guaira y su puerto.

La Guaira and its port.

La Guaira et son port.

La Guaira und sein Hafen.

El Aeropuerto de Maiquetia dispone de instalaciones ultramodernas y puede recibir todo tipo de aviones. En la fotografía, el Concorde, de Air France.

Maiquetia Airport is equipped with ultra-modern facilities and can receive all types of aircraft, including the Air France Concorde seen here.

L'Aéroport de Maiquetia dispose d'installations ultra-modernes et peut recevoir toute classe d'avions, ici le Concorde d'Air France.

Der Flughafen von Maiquetia, verfügt über ultramoderne Einrichtungen. Hier können die grössten Flugzeuge landen; im Bild die Concorde der Air France.

Rancho Grande, en el Parque Nacional Henry Pittier.

Rancho Grande, the Henry Pittier National Park.

Rancho Grande, Parc National Henry Pittier.

Rancho Grande; im Nationalpark Henry Pittier.

La calle Lanceros, en Puerto Cabello.

Puerto Cabello: the "Calle Lanceros".

Puerto Cabello - la "Calle Lanceros".

Puerto Cabello - die "Calle Lanceros".

Orquídea de la familia Cattleya, flor nacional de Venezuela.

An orchid of the Cattleya family; the national flower of Venezuela.

Orchidée de la famille Cattleya, fleur nationale du Venezuela.

Orchidee der Cattleyafamilie, die Nationalblume Venezuelas.

"Araguaney".

Orquídea "La Mariposa".

"La Mariposa", another variety of orchid.

Orchidée "La Mariposa".

Orchidee "La Mariposa".

Acacias y Bugainvillas (Trititarias).

Flamboyant and Bougainvillea (Trititarias).

Flamboyant et Bougainvillées (Trititarias).

"Flamboyant" und "Bougainvillées" (Trititarias).

Mariposa "Dione Juno".

"Dione Juno" butterfly.

Papillon "Dione Juno".

Der Schmetterling "Dione Juno".

Tucán "Ramphastos ambiguus".

Toucan: "Ramphastos ambiguus".

Toucan : "Ramphastos ambiguus".

Tukan: "Ramphastos ambiguus".

El Rey de los Zamuros (sarcoramphus papa).

The King-Vulture (sarcoramphus papa).

Le Roi des Vautours (sarcoramphus papa).

Des Königsgeier (sarcoramphus papa).

ARA "Araurana".

Pelícano "Pelicanus occidentales".
Pelican "Pelecanus occidentales".
Pélican "Pelecanus occidentales".
Pelikan "Pelecanus occidentales".

Tijerela de mar "Fregata magnificens".
Male frigate-petrel "Fregata magnificens".
Frégate mâle "Fregata magnificens".
Männlicher Fregatenvogel "Fregata magnificens"

LOS LLANOS

La inmensa sabana que se conoce como los "Llanos Venezolanos", se extiende desde los Andes hasta la región oriental de Venezuela. Abarca los Estados Barinas, Portuguesa, Cojedes, Apure y Guárico.

En la época de la Colonia, españoles venidos en su mayoría de Andalucía, introdujeron el ganado en las tierras venezolanas. La configuración particular de éstas determinó, con el transcurrir del tiempo, un tipo de vida en el llano, que diferencia nítidamente esta región de las otras regiones del país.

La vida del "llanero" ha estado regida tradicionalmente por las dos grandes estaciones del llano: la época de las lluvias (mayo a noviembre) y la época de las sequías (diciembre a abril), con lo cual sus faenas giran alrededor de dos momentos: la entrada y salida del agua, períodos intermedios entre la extrema sequía y las lluvias que inundan las tierras.

Durante las lluvias, el llanero hace una pausa en el trabajo llano adentro y emprende labores domésticas como trenzar las sogas y preparar los aperos y mientras dura la sequía, arrea grandes contingentes de ganado hacia las pocas zonas donde hay agua.

En los períodos intermedios el llanero monta su caballo y se interna en el llano a enlazar ganado, arrearlo y llevarlo a pastorear. Así, desarrolló un modo de vida errátil, en el descampado, acostumbrado a las privaciones y durezas impuestas por el medio.

Libre en la pampa, a lomo de su caballo, bajo el cielo abierto, el llanero es, a pesar de la dureza de su trabajo, un hombre de caracter sumamente alegre, fogoso y de un gran ingenio natural.

Gran parte de las labores del llano tienen que ver con la música. Las "madrinas", nombre que reciben los rebaños de ganado, siguen por lo general a un toro con cualidades de líder, el "toro madrinero". Para dirigir el ganado a través de este toro, el llanero le inventa coplas. Igualmente, para las labores primitivas de ordeño, dificultosas con ganados medio salvajes, el llanero improvisa coplas para amansarlos. Ellas expresan la simplicidad del caracter del llanero, ligado al medio natural y cuyo trabajo se prolonga tantas veces hasta el amanecer.

A menudo acompaña sus coplas con música. Es cuando aparecen los tres instrumentos más característicos de la región: el arpa, el cuatro y las maracas. Ellas expresan la idiosincracia del llano y de toda Venezuela: su intensa integración de culturas. El arpa venezolano es el arpa del siglo XVI, que en Europa se refinó extremadamente y aquí se conservó. Gran parte del pueblo venezolano toca entonces un instrumento del siglo XVI. El cuatro es un descendiente de la guitarra española; en efecto, es una especie de guitarrico de cuatro cuerdas. Y la maraca es un instrumento de creación indígena.

Con los tres, el llanero elaboró una música propia, de mucho sabor y ritmo, música ésta que acompaña también el "joropo" -baile nacional de Venezuela- y centro de la fiesta del mismo nombre, que se acompaña de comida y bebida.

Otra manifestación musical del folklore llanero es el "contrapunteo", en el que ágiles copleros acompañados del cuatro, se desafían improvisando temas y preguntas dirigidas al otro. El contrapunteo puede prolongarse días enteros, hasta que alguno de los dos falle dándose por vencido.

En esta extensa sabana que es el llano, surgen apenas pequeñas mesas de formación muy antigua, que debido a la erosión son, en su parte superior, también llanuras. La flora de la región está representada especialmente por la "palma llanera", ella es de gran utilidad al hombre del llano pues con sus hojas techa las casas, se alimenta con sus frutos y los troncos los emplea en la construcción de corrales y potreros.

En la época de lluvias la llanura se cubre de pequeñas florecitas. Para el turista será impresionante encontrar en medio de áridas regiones, los llamados "esteros", zonas en donde, por una particularidad del terreno, las aguas se conservan largo tiempo. Son sumamente hermosos, tanto por su especial topografía como por la belleza de la fauna y flora que anida en ellos, en especial las esbeltas garzas blancas y rojas. Entre los esteros más grandes, está el "Estero de Camaguán", en el Estado Guárico. Otro lugar turístico son los "Morros de San Juan", elevaciones de peculiar relieve, dignas de verse.

También abundan en el llano, pequeños oasis poblados de vegetación acuática, a los que se llama "Las Matas".

Entre la fauna de la región abunda el venado, el tigre, el morrocoy y gran variedad de pájaros. En las aguas de los ríos se encuentra una enorme riqueza en peces, aún sin explotar. Los caños de estos ríos -de los cuales el principal es el Orinoco- estuvieron todavía a principios de siglo llenos de caimanes y babas, pero la cacería indiscriminada los ha reducido.

La vivienda tradicional del llanero se construye con bajareque y hojas de palma. En ella o a la intemperie, cuelga su chinchorro y en las largas noches prende fogatas en el llano y masca el chimó, de origen indígena, elaborado con hojas de tabaco, a las que se les da un tratamiento muy especial.

El llanero, diestro en la lanza y manejo del caballo, expresó su fogosidad en las Guerras de Independencia, cuando comandados por el General Páez, los llaneros integraron caballerías temibles que decidieron en buena medida las victorias de estas guerras. Basta con anotar que un testigo de la época que los vió en batalla los retrató como "Bosques de lanzas a galope tendido". Igual aconteció en las guerras civiles y más tarde en la Guerra Federal. Los Llanos dieron a la historia política de Venezuela nombres tan importantes como Piar, los hermanos Monagas y el propio Páez.

Desde entonces han nacido en esta región otros hombres de gran talento, como Lazo Martí, quien escribe el hermoso poema "La Silva Criolla" y Antonio Estévez, compositor de la célebre "Cantata Criolla", ambos oriundos de Calabozo. También es de los llanos, Efraín Hurtado, escritor contemporáneo, autor de "A dos palmos apenas" y "Redes maestras", relatos líricos sobre el Llano. Rómulo Gallegos, uno de los más importantes escritores venezolanos, mundialmente reconocido, describe maestralmente esta región y sus habitantes en su obra "Cantaclaro". claro".

El hombre de la sabana elabora una artesanía que expresa la austeridad de su vida y su cultura, en la que priva el sentido de lo funcional. Todos los elementos de la naturaleza son aprovechados al máximo: el cuero de ganado sirve para fabricar sogas para enlazar, correas, alpargatas, polainas y respaldos para los muebles. Con la fibra de la palma se hacen tejidos, en especial chinchorros. De los frutos del árbol de "tapara" o "totuma", de concha dura y forma semejante a la calabaza, se crean vajillas, recipientes de agua, fuentes para bañarse, y las maracas.

Los Llanos han estado tradicionalmente poco poblados en relación a la inmensidad del territorio que abarcan. Ello se debe a que las condiciones del medio hacían muy difícil su desarrollo económico. Esta situación se ha venido modificando lentamente, gracias a algunas medidas tomadas. Se ha recurrido al riego de la región en la época de sequía por medio de embalses, terraplenes y lagunas artificiales que retienen el agua. Entre ellas está el Embalse del Guárico. Existen hoy hatos que se rigen por técnicas muy modernas y el ganado se cría de manera mucho más planificada. Ello ha contribuido a elevar grandemente la producción ganadera.

Las condiciones climáticas hacen difícil la actividad de la agricultura en los Llanos. Pero hoy el desarrollo agrícola de la región es una realidad. La siembra de pinos en Monagas, los grandes cultivos de arroz en Guárico, la producción de granos en Portuguesa, son prueba de ello.

Cada Estado llanero tiene su capital, ciudades relativamente pequeñas que viven del comercio de ganado y el abastecimiento de géneros para el llanero. Las más importantes son Calabozo, por su situación en el corazón de la región y Barinas, centro de comercio con la región andina.

LOS LLANOS (THE GREAT PLAINS)

The immense savannah land known as the Great Plains of Venezuela extends from the Andes to the Eastern part of the country, covering the States of Barinas, Portuguesa, Cojedes, Apure and Guarico.

In the colonial era, the Spaniards - most of whom came from Andalusia - introduced cattle into Venezuela. Due to the special configuration of the country, there emerged in the course of time a lifestyle in the plains which clearly differentiates this region from others.

Traditionally, the life of the inhabitants of the *llanos* is governed by the two major seasons: the rainy season (from May to November) and the dry season (from December to April). All agricultural work revolves around two moments of the year: the beginning of rainfall and its cessation, which are intermediate periods between extreme dryness and the inundation of the soil.

During the rainy season, the inhabitant of the plains takes a rest from farming and turns to domestic tasks such as plaiting ropes and preparing implements. During the dry season, the cattle is herded into the few irrigated zones.

In the intermediate periods, he rides into the pampas to lasso the cattle and lead it to grazing land. Thus he lives a nomadic outdoor life, accustomed to the privations imposed by the environment.

Despite the hardness of his work, the gaucho of the pampas is a gay, high-spirited and naturally ingenious man.

Music plays a part in much of the work on the plains. The herds of cattle generally follow a leader bull. To drive the cattle behind this bull, the gaucho improvises songs. He does the same when milking, which is a difficult task in the case of half-wild herds. These couplets reflect the simplicity of the gaucho's character, deriving from the natural environment in which he works.

He often sings to a musical accompaniment; the three characteristic instruments of the region are the harp, the four-stringed guitar and the maraca. They are expressive of the temperament of the plain, and of Venezuela as a whole: its close integration of cultures. The Venezuelan harp dates from the sixteenth century; whereas this instrument became greatly refined in Europe, it retained its original characteristics in Venezuela. The four-stringed guitar is a descendant of the Spanish guitar, and the maraca is an instrument of native origin.

With these three instruments, the peasant of the plains makes his own music, strongly rhythmic and with a marked personality. It is this same music which accompanies the *joropo*, the national dance of Venezuela, which is performed during the fête of the same name in which eating and drinking play a large part.

Another expression of the musical folklore of the plain is verse improvisation. To guitar accompaniment, clever singers vie with one another in improvising themes; such performances may last for days at a time, until one or the other runs short of inspiration.

In this immense savannah, there are a few small plateaux which, as a result of erosion, have also become plains on their summits. The flora of the region is represented mainly by the pampas palm tree, which renders valuable service to the peasants; its leaves are used to roof the houses, its trunk is employed for building fences, and its fruit is edible.

In the rainy season, the plain is covered with little flowers. Here and there, amid arid areas, there are lagoons where, due to a particularity of the terrain, water remains for a long time. Besides being attractive in themselves, these lagoons harbour a great deal of fauna and flora, especially white and red herons. Among the largest of them is the Lagoon of Camaguan in the State of Guarico. Among other tourist spots are the 'Morros of San Juan', oddly-shaped hills.

Small oases featuring aquatic plants abound in the plain; they are called matas.

The local fauna includes a great deal of furred and feathered game, as well as tigers, large morrocoy turtles, and a wide variety of birds. The rivers are full of fish, though this resource has not been exploited. At the beginning of the century, the shores of these rivers - the principal one being the Orinoco - were still infested with caymans and crocodiles, but hunting has now reduced their numbers.

The traditional dwelling of the peasant of the plain is made of reeds covered with clay (quincha) and palm leaves. He sleeps in a hammock, indoors or out, and during the long nights he lights a fire in the plain and chews Indian tobacco whose leaves have been specially processed.

The men of the plain, splendid horsemen, showed their spirit during the Wars of Independence when, commanded by General Paez, they took part in redoubtable - and largely successful-military expeditions. A contemporary observer who witnessed them in combat wrote of "forests of lances at the gallop". The same thing happened during the civil wars and later during the Federal War. The great plains contributed such celebrated names to the political history of Venezuela as Piar, the Monagas brothers, and Paez himself.

Later, other men of talent were born in this region, like Lazo Marti who wrote the wonderful poem "The Creole Forest"; and Antonio Estevez, composer of the famous "Creole Cantata"; both of them natives of Calabozo. Efrain Hurtado, the contemporary writer, is also a native of the plains; he is the author of romantic stories centred around this region, "A dos Palmos Apenas" and "Redes Maestras". Rómulo Gallegos, a leading Venezuelan writer known throughout the world, has given a masterly description of this region and its inhabitants in his book "Cantaclaro".

The craftwares of the savannah reflect the austerity of the life and culture of the local inhabitants; functionalism predominates. Maximum advantage is taken of all available natural resources: hides are used to make ropes, belts, shoes, gaiters, and furniture covering.

Palm fibres are woven into fabrics, especially for hammocks. The fruit of the tapara tree has a hard, gourd-shaped shell which is used to make tableware, water jugs, bath tubs and maracas.

The plain has always been thinly populated in relation to the immense area which it covers. This is due to environmental conditions which formerly rendered its economic development extremely difficult. This situation has slowly changed thanks to various measures introduced. Recourse has been had to irrigation during the dry season, using tanks, embankments and artificial lakes. The Guarico dam is an example. Nowadays there are properties irrigated by modern techniques, and livestock farming is much better organized. This has greatly increased production.

Climatic conditions make farming in the plain difficult. But today the agricultural development of the region is a reality. Pine trees have been planted in the Monagas, rice fields introduced in the Guarico, and the Portuguesa produces cereals.

Every State in the plain has its capital; they are relatively small towns which owe their livelihood to cattle trading and also supply the inhabitants with merchandise. The largest of them are Calabozo, located in the heart of this region, and Barinas, a centre of trade with the Andean region.

LES GRANDES PLAINES (LOS LLANOS)

L'immense savane connue sous le nom de « grandes plaines vénézuéliennes », s'étend des Andes jusqu'à la partie orientale du Vénézuéla. Elle couvre les provinces Barinas, Portuguesa, Cojedes, Apure et Guarico.

A l'époque coloniale, des Espagnols venus en majorité d'Andalousie, introduisirent le bétail sur les terres vénézuéliennes. Leur configuration particulière détermina, avec le temps, un type de vie dans la plaine, qui différencie nettement cette région des autres.

La vie de l'habitant des « llanos » a été tradionnellement régie par les deux grandes saisons de la plaine : l'époque des pluies (mai à novembre) et celle des sécheresses (décembre à avril), c'est pourquoi les travaux agricoles s'organisent autour de deux périodes : l'arrivée et le départ des eaux, périodes intermédiaires entre l'extrême sécheresse et les pluies qui inondent les terres.

Pendant les pluies, l'habitant des plaines fait une pause dans le travail agricole et entreprend des travaux domestiques tels que le tressage des cordes et la réparation des outils ; pendant la sécheresse, il effectue la transhumance de tout le bétail vers les quelques zones irriguées.

Durant les périodes intermédiaires, il monte à cheval, il s'enfonce dans les pampas pour prendre le bétail au lasso, le déplace et l'emmène paître. C'est ainsi qu'il développa un mode de vie de nomade, en plein air, habitué aux privations et aux duretés imposées par une rude existence.

Libre dans la pampa, à cheval, sous le ciel immense, le « gaucho » est, malgré l'âpreté de son travail, un homme très gai, fougueux et naturellement ingénieux.

Une grande part des travaux de la plaine a des rapports avec la musique. Les « Manades », nom que reçoivent les troupeaux de bétail, suivent en général un taureau ayant des qualités de leader, le « taureau manadier ». Pour diriger le bétail vers ce taureau, le gaucho lui invente des couplets de chanson. De même pour les travaux primitifs de la traite, difficiles avec des troupeaux à moitié sauvages, le gaucho improvise des couplets pour le calmer. Couplets qui traduisent la simplicité du caractère du gaucho, lié au milieu naturel et dont le travail se prolonge souvent jusqu'au lever du soleil.

Il accompagne souvent ses refrains de musique. C'est alors qu'apparaissent les trois instruments caractéristiques de la région : la harpe, la guitare à quatre cordes et les maracas. Ils expriment le tempérament de la plaine et de tout le Vénézuéla : son intégration sans réserve au pays. La harpe vénézuélienne est la harpe du XVIème siècle qui s'affina beaucoup en Europe mais conserva son caractère ancestral au Vénézuéla. Une grande partie du peuple vénézuélien joue donc d'un instrument du XVIème siècle. La guitare à quatre cordes est une descendante de la guitare espagnole ; la maraca est un instrument de création indigène.

Avec ces trois instruments, le paysan de la plaine composa une musique de sa conception, avec beaucoup d'inspiration et de rythme ; la même musique qui accompagne le « joropo » - danse nationale du Vénézuéla - motif central de la fête du même nom, s'accompagne de joyeuses libations.

Autre manifestation musicale du folklore de la plaine : « l'improvisation en vers ». Des chansonniers habiles accompagnés de la guitare à quatre cordes, se défient les uns les autres en improvisant des thèmes et des joutes oratoires. L'improvisation peut durer des jours entiers, jusqu'à ce que l'un fléchisse et s'avoue vaincu.

Dans cette immense savane qu'est la plaine, quelques petits plateaux de très ancienne formation font à peine saillie. Par suite de l'érosion, ce sont aussi des plaines dans leur partie supérieure. La flore de la région est surtout caractérisée par le « palmier de la pampa » fort utile au paysan, ses palmes servant à couvrir le toit des maisons. Le paysan s'alimente de ses fruits et utilise les troncs à la construction d'enclos.

A l'époque des pluies la plaine se couvre de petites fleurs. Le touriste sera impressionné de découvrir, au milieu de régions arides, les fameuses « lagunes », zones où, par une particularité du terrain, les eaux se conservent longtemps. Elles sont splendides, tant par leur topographie spéciale que par la beauté de la faune et de la flore qui s'y abritent, surtout les sveltes hérons blancs et rouges. Parmi les plus grandes lagunes, il y a la « Lagune de Camaguan », dans l'Etat de Guarico. Autre lieu touristique, les « Monticules de San Juan » qui sont des élévations au relief particulier.

De petites oasis à la végétation aquatique abondent dans la plaine, on les appelle « les Matas » (plantations).

Parmi la faune de la région le gros gibier abonde, ainsi que le tigre, les grosses tortues « morrocoy » et une grande variété d'oiseaux. Les eaux des rivières regorgent de poissons, richesse qui n'est pas exploitée. Les rives de ces fleuves - dont le principal est l'Orenoque - étaient encore au début du siècle infestées de caïmans et de crocodiles, mais une chasse indiscriminée en a réduit le nombre.

L'habitat traditionnel du paysan de la plaine est fait de roseaux recouverts d'argile (la quincha) et de feuille de palmiers. A l'intérieur ou en plein air, il suspend son hamac et pendant les longues nuits il allume des feux dans la plaine il mâche une chique, d'origine indigène, faite de feuilles de tabac auxquelles on fait subir un traitement très spécial.

Les habitants de la plaine sont habiles à la lance et excellents cavaliers ; ils manifestèrent leur fougue dans les Guerres d'Indépendance, lorsque, commandés par le Général Paez, ces hommes de la plaine formèrent des expéditions militaires redoutables ; celles-ci décidèrent, en grande partie, du sort de la victoire. Il suffit d'évoquer un témoin de l'époque qui les vit dans le combat et les peignit comme des « forêts de lances au grand galop ». La même chose se produisit pendant les guerres civiles et plus tard dans la Guerre Fédérale. La grande plaine apporta à l'histoire politique du Vénézuéla des noms aussi célèbres que Piar, les frères Monagas et Paez lui-même.

Depuis, d'autres hommes de talent sont nés dans cette région, tels Lazo Marti qui a écrit le merveilleux poème « La Forêt Créole » et Antonio Estévez, compositeur de la célèbre « Cantate Créole », tous deux natifs de Calabozo. Efrain Hurtado est également originaire des Llanos. Ecrivain contemporain, il est l'auteur de « A dos palmos apenas » et « Redes maestras », récits lyriques sur les Llanos. Rómulo Gallegos, un des plus importants écrivains vénézuéliens mondialement connus, a décrit magistralement cette région et ses habitants dans son œuvre « Cantaclaro ».

L'homme de la savane propose un artisanat qui exprime l'austérité de sa vie et de sa culture, où domine le sens du fonctionnel. Il profite au maximum de tous les éléments de la nature : le cuir du bétail sert à fabriquer des cordes pour lier, des courroies, des espadrilles, des guêtres et des gaines de soutien pour les meubles. Avec la fibre de la palme, ils font des tissus, surtout des hamacs. Des fruits de l'arbre de « tapara » ou « calebassier », de l'écorce dure en forme de calebasse, ils font de la vaisselle, des récipients d'eau, des bassins pour se baigner et des maracas.

Les Llanos ont été traditionnellement peu peuplés par rapport à l'immensité du territoire qu'ils couvrent. Ceci est dû aux conditions de l'environnement qui rendaient leur développement économique très difficile. Cette situation s'est modifiée lentement, grâce à quelques mesures appropriées. On a eu recours à l'irrigation de la région en période de sécheresse au moyen de réservoirs, de remblais et de lagunes artificielles qui retiennent l'eau. Parmi ceux-ci le barrage du Guarico. Il y a aujourd'hui des propriétés qui sont irriguées grâce à des techniques très modernes et le bétail est élevé de façon beaucoup plus organisée, ceci ayant grandement contribué à l'amélioration de l'élevage.

Les conditions climatiques rendent difficiles l'activité de l'agriculture dans la Plaine. Mais aujourd'hui le développement agricole de la région est une réalité. La semaille des pins dans le Monagas, les grandes rizières dans le Guarico, la production des céréales du Portuguesa en sont des preuves.

Chaque province a sa capitale, ce sont des villes de moyenne importance qui vivent du commerce du bétail, et fournissent des marchandises pour l'habitant des Llanos. Les plus importantes sont Calabozo, pour sa situation centrale Barinas, lieu commercial avec la région andine.

DIE GROSSEN EBENEN

Die riesige Savanne, die als venezolanische Llanos bekannt ist, erstreckt sich von den Anden bis Ostvenezuela. In ihr liegen die Staaten Barinas, Portuguesa, Apure und Guárico.

Während der Kolonialzeit hatten die Spanier, die in ihrer Mehrzahl aus Andalusien stammten, Vieh in Venezuela eingeführt. Aufgrund ihrer besonderen topographischen Gegebenheiten bildete sich in den Tiefländern der Llanos nach und nach eine Lebensform heraus, die sich deutlich von der in den übrigen Landesteilen unterscheidet.

Das Leben der Llanos-Bewohner wird seit jeher von den zwei Jahreszeiten des Tieflandes bestimmt, der Regenzeit von Mai bis November, und der Trockenzeit von Dezember bis April. Dadurch sind die landwirtschaftlichen Arbeiten auf die Übergangszeiten zwischen dem Beginn und dem Wegbleiben des Regens, d.h. zwischen Perioden extremer Trockenheit und solchen der Überschwemmungen, beschränkt.

Während der Regenzeit unterbricht der «Llanero» die Feldarbeit und widmet sich häuslichen Beschäftigungen, wie dem Flechten von Tauen und der Herstellung von Werkzeugen, während er in der Trockenperiode das gesamte Vieh in die wenigen bewässerten Zonen treibt.

In den Übergangszeiten dringt er zu Pferde tief in die Llanos vor, wo er die Rinder mit dem Lasso einfängt und sie zum Weiden treibt. So hat er sich an ein Nomadenleben unter freien Himmel, mit seinen Entbehrungen und Härten, gewöhnt.

Trotz der harten Arbeit, die er hoch zu Pferde unter dem weiten Himmel der Llanos ausführt, ist der Llanero in seiner Ungebundenheit ein lebenslustiger, heissblütiger Mensch von natürlichem Scharfsinn.

Viele Arbeiten in der Ebene sind mit Musik verbunden. Die Viehherden folgen meist einem Leitstier, für den er kurze Lieder erfindet, um ihn-und damit die Herde-zu lenken. Auch beim Melken, das bei den halbwilden Herden nicht einfach ist, improvisiert er Melodien, mit denen er die Kühe zu beruhigen versucht.

In diesen Liedern drückt sich einfach die Natur dieser Menschen aus, die in enger Naturverbundenheit leben, und deren Arbeiten häufig bis zum Morgengrauen dauern.

Oft begleitet er seine Lieder mit einem Instrument. Die drei in dieser Gegend gebräuchlichen Instrumente sind eine Harfe, eine 4-saitige Gitarre und die Rassel (Maraca). Sie sind charakteristisch für die enge Verschmelzung der Kulturen im Tiefland und in ganz Venezuela. Die venezonalische Harfe ist eine Harfe des 16. Jahrhunderts, die in Europa weiterentwickelt und verfeinert wurde, hier aber in ihrer alten Form weiterexistiert. Ein grosser Teil der Venezolaner spielt also auf einem Instrument des 16. Jahrhunderts. Die viersaitige Gitarre ist eine Variante der spanischen Gitarre, und die Maraca ist eine Rassel der Eingeborenen.

Mit diesen drei Instrumenten haben die Bewohner der Llanos eine eigene ausdrucksvolle, sehr rhythmische Musik entwickelt, die als Begleitung zum venezolanischen Nationaltanz «Joropo» gespielt wird. Der Joropo steht im Mittelpunkt des gleichnamigen Festes, bei dem auch Essen und Trinken eine wichtige Rolle spielen.

Ein anderes musikalisches Volksereignis ist «Die Improvisation von Versen». In Wechselgesängen fordern sich kunstfertige Liedersänger gegenseitig mit improvisierten Versen heraus, die sie auf der 4saitigen Gitarre begleiten. Das Improvisieren kann tagelang dauern, bis einer der beiden aufgibt.

In diesen unermesslichen Grasfluren der Llanos ragen an einigen Stellen kleinere tafelförmige Hochebenen hervor, die von frühen geologischen Formationen stammen. Dass sie oben abgeflacht sind, ist die Folge von Erosion. Die Pflanzenwelt dieser Gegend wird von der «Llanospalme» beherrscht. Für die Bauern ist sie sehr nützlich, da sie mit ihren Blättern die Dächer ihrer Häuser decken. Ihre Früchte sind essbar, und aus den Stämmen werden Zäune hergestellt.

Zur Regenzeit ist die Ebene von kleinen Blumen bedeckt. Der Tourist ist sicher beeindruckt, wenn er inmitten einer öden Landschaft auf die «Lagunas» stösst, Stellen, in denen aufgrund einer besonderen Bodenbeschaffenheit das Wasser lange stehenbleibt. Es ist eine malerische Landschaft, sowohl wegen ihrer eigenartigen Bodenform, wie auch wegen der Schönheit ihrer Pflanzen und Tierwelt, darunter vor allem auch die schlanken weissen und roten Reiher, die dort nisten. Eine der grössten Lagunen ist die «Lagune von Camaguán» im Staate Guárico. Als touristischer Anziehungspunkt gelten auch die «Hügel von San Juan de los Morros», seltsame Erhebungen von eigentümlicher Felsformation.

Häufig trifft man in der Llanos-Ebene auch auf kleine Buschinseln («Las Matas») mit Sumpfvegetation. Der Tierbestand in diesem Gebiet ist reich an Rotwild, Raubtieren, Schlangen, Riesenschildkröten («Morrocoy») und mannigfaltigen Vogelarten. Der Fischreichtum der Flüsse wird nicht ausgebeutet. Die Ufer dieser Flüsse, deren grösster der Orinoko ist, waren noch zu Beginn dieses Jahrhunderts von Kaimanen und Krokodilen bewohnt, deren Zahl jedoch durch ständige Jagd sehr zurückgegangen ist.

Die traditionellen Hütten der Llanos-Bauern bestehen auseinem Rohrgeflecht, das mit Lehm ausgefüllt wird und mit Palmenblättern bedeckt ist. Im Innern des Hauses oder im Freien hängen sie ihre Hängematten auf, und während der langen Nächte machen sie Strohfeuer, und kauen den einheimischen Priem aus besonders zubereiteten Tabakblättern.

Die Llanos-Bewohner sind geschickt im Umgang mit dem Speer und ausgezeichnete Reiter. Sie haben ihre Unerschrockenheit in den Unabhängigkeitskämpfen bewiesen, als sie, unter Anführung des Generals Páez, gefürchtete militärische Truppen bildeten, die wesentlich zum Sieg beigetragen haben. Es genügt, einen zeitgenössischen Zeugen zu hören, der sie beim Kampf sah und sie als «galoppierenden Lanzenwald» beschrieb. Das gleiche wiederholte sich während der Bürgerkriege und in den späteren Föderationskämpfen. Die Llanos haben mit so berühmten Namen wie Piar, den Brüdern Monagas und Páez, einen Beitrag zur politischen Geschichte Venezuelas geliefert.

Seitdem hat diese Gegend andere begabte Männer hervorgebracht, wie Lazo Martí, der das wunderbare Gedicht «Lied der Kreolen» schrieb, und Antonio Estévez, den Komponisten der «Kreolischen Kantate». Beide sind in Calabozo geboren. Efraín Hurtado stammt ebenfalls aus der Ebene. Er ist ein zeitgenössischer Schriftsteller und Autor der lyrischen Erzählungen: «A dos palmos apenas» und «Redes maestras» in denen die Llanos beschrieben werden. Rómulo Gallegos, einer der bedeutendsten venezolanischen weltbekannten Schriftsteller, hat dieses Gebiet und seine Einwohner in seinem Werk «Cantaclaro» meisterhaft beschrieben.

Der Bewohner der Savanne bringt Handarbeiten hervor, in denen sich die Kargheit seines Lebens und seiner Kultur manifestiert und in denen das Funktionelle vorherrscht. Er versteht es, alle Naturprodukte maximal zu nutzen: aus Tierleder stellt er geflochtene Taue, Riemen, Schuhe, Stiefel, Lederhüllen und Möbelbezüge her.

Palmfasern werden zu Stoffen, und insbesondere zu Hängematten, verarbeitet. Aus der harten Schale des «Tapara»- oder «Kalebassenbaumes» werden Geschirr, Wassergefässe, Waschschüsseln und Maracas hergestellt.

Die ausgedehnten Ebenen der Llanos sind seit jeher dünn besiedelt gewesen. Das hängt mit den Umweltgegebenheiten zusammen, die eine wirtschaftliche Nutzung des Gebietes erheblich erschwert haben. Dank verschiedener Massnahmen hat sich diese Situation langsam geändert. Während der Trockenperiode wird das Land mit Hilfe von Wasserreservoiren, künstlichen Dämmen und Seen, in denen das Wasser gespeichert wird, bewässert. Dazu gehört der Stausee von Guárico. Heute gibt es landwirtschaftliche Güter, die mit den modernsten Techniken bewässert werden, und auch die Viehzucht ist jetzt viel besser organisiert als früher, wodurch die Viehproduktion erheblich gesteigert werden konnte.

Die klimatischen Bedingungen stellen ein Problem für die Landwirtschaft in den Llanos dar. Doch heute macht die landwirtschaftliche Nutzung dieses Gebietes Fortschritte. Beweise für diese Entwicklung sind die Aussaat von Kiefern im Staate Monagas, die grossen Reisfelder in Guárico und die Getreideproduktion in Portuguesa.

Jeder Staat der Ebene hat seine Hauptstadt; diese relativ kleinen Städte leben vom Viehhandel und von der Versorgung der Llanos-Bewohner. Die wichtigsten Städte sind Calabozo, wegen seiner zentralen Lage, und Barinas, als bedeutendster Ort für den Warenaustausch mit den Andengebieten.

"El Turpial".

San Juan de los Morros.

Ganado en "el Hato el Frio".

Ganado at "el Hato el Frio".

Troupeau de vaches à "el Hato el Frio".

◄ *Vieh in "el Hato el Frio".*

Pescando en el río Apure.

Fishermen on the Apure river.

Pêcheurs sur l'Apure.

Fischer auf dem Apure-Fluss.

Familia de Chigüires (hydrochoerus hydrochoeris) en "el Hato el Frío".

A family of water hogs (hydrochoerus hydrochoeris) at "el Hato el Frío".

Une famille de Chigüires (hydrochoerus hydrochoeris) à "el Hato el Frío".

"Chigüiren"-Familie (hydrochoerus hydrochoeris) in "el Hato el Frío"

Caimanes y tortugas en "el Hato el Frío".

Caimans and turtles at "el Hato el Frío".

Caïmans et tortues à "el Hato el Frío".

Krokodile und Schildkröten in "el Hato el Frío".

Venado.

Deer.

Biche .

Rotwild.

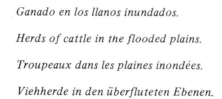

Ganado en los llanos inundados.

Herds of cattle in the flooded plains.

Troupeaux dans les plaines inondées.

Viehherde in den überfluteten Ebenen.

Pajaro vaco (Tigrisoma lincatum).

Tiger Bittern (Tigrisoma lincatum).

Butor (Tigrisoma lincatum).

Rohrdommel (Tigrisoma lincatum).

Garza blanca (casmerodius albus).

White heron (casmerodius albus).

Héron blanc (casmerodius albus).

Weisser Reiher (casmerodius albus).

Parque Cachamay en Puerto Ordaz, en las orillas del Caroní.

Cachamay Park at Puerto Ordaz, on the banks of the Caroni.

Parc Cachamay à Puerto Ordaz sur les rives du Caroni.

Der Cachamaypark in Puerto Ordaz, an den Ufern des Caroni.

Canaima. ➡

REGION DE GUAYANA

La región de Guayana es tal vez el paraje de Venezuela que reúne la mayor riqueza de escenarios naturales que el hombre pueda contemplar, al lado de un inagotable misterio cultural y geográfico aún sin desentrañar.

Este inmenso territorio se extiende al sur y al este del Orinoco abarcando casi la mitad de Venezuela (458.750 Kms.^{2}). Guayana incluye las dos mayores unidades políticas de Venezuela: el Estado Bolívar, en la mitad septentrional, cuya capital es Ciudad Bolívar y el Territorio Federal Amazonas, en su parte meridional, que tiene a la población de Puerto Ayacucho como capital.

La naturaleza ha dotado a la región de grandes ríos, selvas vírgenes y una flora y fauna de gran belleza. Domina estas tierras el Macizo Guayanés, considerado como la formación geológica más antigua de la América del Sur. Los ríos han conformado a lo largo de siglos elevaciones tabulares de exuberante vegetación y alta concentración de humedad. Estos gigantescos altares fueron llamados por los indígenas "tepuyes" y tienen en sus culturas primitivas un hondo significado mitológico: dioses del bien y del mal, deidades de la naturaleza y bestias sagradas habitaban en ellas.

El más importante es el Auyan-Tepuy, coloso que se eleva a 2.640 m. sobre el nivel del mar. Desde lo alto del Auyan-Tepuy, arranca el Salto Angel, el salto de agua más grande del mundo: 972 m. de altura en caída libre desde la planicie. El Salto era conocido desde tiempos inmemoriales por los indígenas, quienes lo bautizaron Churún-Merú, pero debe su actual nombre al aviador norteamericano Jimmy Angel, quien en el año 1933, lo divisó en su totalidad desde su avioneta Flamingo. Al tratar de aterrizar en la planicie, ésta se accidentó, y sus tripulantes tuvieron que abandonarla. La avioneta se conserva como recuerdo en el Museo de las Fuerzas Aereas en Maracay.

Corona el Auyan-Tepuy la hermosa y extensa belleza de la Gran Sabana que empieza en el Estado Bolívar y se extiende hasta el Territorio Amazonas, abarcando una vasta superficie de 32.000 Kms.^{2}. Fue durante más de cuatro siglos una impenetrable selva en la que sus imponentes alturas -entre ellas el Cerro Roraima, llamado por los indios Roraima-Tepuy, con 2.800 m.-, custodiaban celosamente sus secretos. Ahí se encuentra Canaima, paraíso por excelencia del turista, donde encontrará todo lo que el hombre puede aspirar de su contacto más íntimo con la naturaleza. En Canaima podrá pasear, practicar deportes, excursionar y deleitarse con los ríos, caídas de agua y selvas vírgenes del lugar.

En Guayana, junto a enormes árboles, crece la orquídea, delicada flor considerada como la flor nacional. Pájaros tropicales, jaguares, dantas, báquiros y monos, entre otras muchas especies de la fauna, son huéspedes de las selvas, sabanas y costas del Orinoco. En las aguas de los ríos viven una gran variedad de peces, así como tortugas, caimanes, chigüires, etc.

También tiene Guayana una importante riqueza arqueológica. En el fondo del Río Caroní, han sido encontrados los Petroglifos de Guri, las cuales están consideradas como las más primitivas expresiones de la artesanía venezolana.

El Río Caroní es famoso por sus saltos, entre ellos el de "La Llovizna", próximo a Ciudad Guayana. Las aguas del Caroní han sido aprovechadas como fuente de energía con la construcción de la Represa del Guri, cuyo nombre ha sido tomado de la mujer del cacique indio Guaragua.

Las orillas del Río Caroní ofrecen al visitante un extraordinario lugar de expansión en el Parque Cachamay, situado al lado del Salto La Llovizna, dotado de atractivos raudales de agua.

Guayana es el lugar de "El Dorado". Esta hermosa leyenda es quizá el producto más maravilloso de la imaginación de los aborígenes americanos. Fue inventada para alejar a los conquistadores españoles, sedientos de riquezas, y dirigirlos a un lugar imaginario, llamado "El Dorado", donde encontrarían incalculable riquezas en oro y piedras preciosas. La leyenda de "El Dorado" ha dejado de ser un sueño de aventureros y locos para transformarse en una realidad donde el mito del oro, el diamante y el balata ha cobrado extraordinarias dimensiones al agregársele la riqueza férrea, el desarrollo hidroeléctrico y las potencialidades en petróleo de la Faja Bituminosa del Orinoco. Todo ello hace de Guayana la "tierra del futuro", en la cual deposita Venezuela sus más grandes esperanzas.

Expresión de este gran complejo industrial que se levanta en la región, es Ciudad Guayana, situada en la confluencia de los ríos Orinoco y Caroní, con una población aproximada de 200.000 habitantes. En ella están localizadas las grandes industrias del acero, aluminio y mineral de hierro.

Ciudad Guayana nació de la fusión de Puerto Ordaz y San Félix, comunicadas hoy por el Puente sobre el Río Caroní. Es una ciudad moderna, con aeropuertos, grandes autopistas, y símbolo del progreso económico del país.

Ciudad Bolívar, capital del Estado, reúne a una población de alrededor de 110.000 habitantes. Bella ciudad, de arquitectura predominantemente colonial, conserva sitios históricos que hablan de significativos episodios del tiempo de la Colonia y de la lucha de Venezuela y de América por su independencia.

El primer nombre de Ciudad Bolívar fue el de Angostura. En efecto, aquí estuvo la capital de la Gran Colombia, creada por el Libertador Simón Bolívar. En la Casa de San Isidro redactó Bolívar el mensaje que presentara al Congreso de Angostura, cuya sede funcionó en la Plaza Bolívar.

Lleva también el nombre de Angostura, el gigantesco puente sobre el Orinoco. Es el único puente que atraviesa este río, lo hace en su parte más angosta. Tiene una longitud de 1.678 m. y dista unos cinco Kms. de Ciudad Bolívar.

Entre otros lugares de interés histórico para el turista, están el Castillo de San Francisco de Asís, el Castillo el Padrastro o San Diego y el Fortín el Zamuro.

Ciudad Bolívar tiene dos importantes museos :

El Museo de Ciudad Bolívar se creó en la casa colonial donde se elaboraba "El Correo del Orinoco", órgano oficial del Congreso de Angostura. En este Museo se exponen muestras de la historia de la ciudad.

El Museo de Arte Moderno Jesús Soto lo construyó el consagrado arquitecto venezolano Carlos Raúl Villanueva y su nombre lo debe al artista, también venezolano, Jesús Soto, de gran proyección internacional, cuya obra está inscrita en las más importantes corrientes del arte contemporáneo. Una extraordinaria muestra de sus obras se encuentra en el Museo junto a la de otros artistas tanto nacionales como extranjeros.

El Territorio Federal Amazonas es una impresionante selva amazónica, verdadero refugio ecológico, enmarcado por dos de los ríos más grandes del mundo: el Amazonas y el Orinoco. Comparte con el Estado Bolívar su inigualable flora y fauna y sus riquezas naturales.

El 75% de su territorio son selvas de una vegetación exuberante y densa por la excesiva humedad y contínuas lluvias. El primer europeo que visitó la selva amazónica de Venezuela fue el geógrafo alemán Alexander von Humboldt, quien se admiró con la maravillosa vegetación y las culturas primitivas que encontró en ellas.

Puerto Ayacucho, capital del Territorio, está situada a orillas del Río Orinoco y tiene una escasa población de 15.000 habitantes. Entre sus atractivos ofrece dos parques: el de la Plaza Bolívar y el Parque Nacional Humboldt.

La población total del territorio no llega a los 30.000 habitantes, la mayoría de los cuales son aborígenes repartidos en pequeños poblados. Mantienen su cultura primitiva, empezando recién a asimilar una cultura llevada sobre todo por las Misiones Religiosas.

Muchas de las tribus indígenas son nómadas y se dedican a la caza, pesca y recolección. Otras, de actividad sedentaria, cultivan yuca, ocumo y ñame en conucos. Están diseminados por todo el territorio. Entre las más conocidas están los Guahibos, los Maquiritares, los Guaicas, los Yarabaranas, los Guanahibos, los Piaroas y los Piacopos, casi todos radicados a las márgenes de los principales ríos: Orinoco, Ventuari, Casiquiare, Río Negro y Sipapo.

Una de las más extensas planicies del Amazonas es la Sabana de Esmeralda, con una selva espesa y tropical que en la época de grandes lluvias se cubre con innumerables flores.

El Orinoco, principal río de Venezuela, nace en este territorio, en la Sierra de Parima, cerca de la frontera con Brasil.

La artesanía de la región de Guayana es producida por hábiles manos indígenas que elaboran hamacas, chinchorros, tinajas, sombreros, cestas, esencialmente con la fibra de la palma de moriche, la cual abunda en las márgenes del Orinoco. Entre otras creaciones indígenas se destacan collares y cerámicas, además de una extensa gama de instrumentos musicales de los cuales resaltan las flautas, maracas y tambores. Resultan de especial interés las canoas, curiaras, flechas, arpones y cerbatanas. La artesanía indígena expresa gran creatividad y sensibilidad.

El folklore de la región de Guayana lo conforman las danzas y cantos indígenas, muchos de ellos de caracter ritual. Entre los pueblos que realizan grandes fiestas está Santa Elena de Guairén y Guaisipati.

Es famosísimo en toda Venezuela el Carnaval de "El Callao", población minera del Estado Bolívar.

REGION OF GUAYANA

The region of Guayana is perhaps the part of Venezuela which is richest in natural scenery to which is added an inexhaustible cultural and geographical lore whose mysteries have not yet been fully investigated.

This immense territory extends to the South and East of the Orinoco and covers almost half of Venezuela (458,750 square kilometres). Guayana comprises the two largest political units in Venezuela: the State of Bolivar, in the Northern half, whose capital is Ciudad Bolivar; and the Federal Territory of Amazonas in the Southern half, whose capital is Puerto Ayacucho.

Nature has endowed the region with great rivers, virgin forests, and a flora and fauna of great beauty. All this is dominated by the Guayanes range. The region is considered to be the oldest geological formation in South America. In the course of the centuries, the rivers have fashioned tabular elevations covered with lush, wet vegetation; these gigantic altars were called *tepuys* by the Indians, and in their primitive cultures they have a profound mythological significance, being inhabited by the gods of good and evil, the deities of nature, and sacred animals.

The biggest is Auyan-Tepuy, which rises to a height of 2,640 metres above sea level. From the top of Auyan-Tepuy falls the Salto Angel, the highest waterfall in the world - 972 metres of free fall. It was known in the distant past by the natives, who called it Churun-Meru, but it owes its present name to the North American aviator, Jimmy Angel, who observed it in its entirety from his Flamingo light aircraft in 1933. He tried to land on the plain, but his aircraft crashed and had to be abandoned. It is now preserved in the Museum of the Armed Forces in Maracay.

The Auyan-Tepuy crowns the immense savannah which begins in the State of Bolivar and extends as far as the territory of Amazonas, covering an area of 32,000 square kilometres. For more than four centuries it was an impenetrable forest whose imposing peaks, - among them Mount Roraima, called Roraima-Tepuy by the Indians, 2,800 metres high - retained their secrets. The traveller can discover Canaima, a tourist paradise *par excellence*, where intimate contact with nature can be enjoyed under the best possible conditions. At Canaima there are facilities for excursioning, sport, walking and admiring the rivers, waterfalls and virgin forests of the locality.

In Guayana, orchids grow among the enormous trees. Their delicate flower is the national flower of Venezuela. Tropical birds, jaguars, tapirs, peccaries, monkeys and other species of fauna inhabit the forests, savannahs and banks of the Orinoco. The rivers contain a wide variety of fish, together with turtles, caymans, water hogs, etc.

Guayana is also of considerable archeological interest. On the bed of the River Caroni, petroglyphs have been found; they are considered to be the most primitive expressions of Venezuelan handcrafts.

The Caroni is noted for its waterfalls, among them La Llovizna (the drizzle) near Ciudad Guayana. The waters of the Caroni have been used as a source of energy since the construction of the Guri dam whose name is derived from that of the wife of the Indian chief Guaragua.

The banks of the river are particularly attractive in the Cachamay Park, situated beside La Llovizna, which contains many torrents.

Guayana is the site of El Dorado. This legend is perhaps the most extraordinary product of the imagination of the American Indians; it was invented to divert the Spanish conquistadores thirsting for riches and to direct them to an imaginary spot called El Dorado, where they would find incalculable wealth in the form of gold and precious stones. The legend of El Dorado became a dream of adventurers, and subsequently became a reality in which the myth of gold, diamonds and balata took on fresh dimensions when iron ore, hydro-electric developments and the oil potentialities of the Orinoco were added. All this makes Guayana a land of the future on which Venezuela pins her greatest hopes.

Ciudad Guayana is the expression of this major industrial complex which is growing up in the region. Situated at the confluence of the Orinoco and the Caroni, it has a population of approximately 200,000. Steel, aluminium and iron ore industries have been installed there.

Ciudad Guayana is the result of the merger of Puerto Ordaz and San Felix, which are now connected by a bridge over the Caroni. It is a modern town, with airports and motorways, standing as a symbol of the economic progress of Venezuela.

Ciudad Bolivar, capital of the State, has a population of nearly 110,000. It is a fine city, whose architecture is mainly colonial; it still has historic sites reminiscent of significant episodes of colonial days and of Venezuela's struggle for independence.

The original name of Ciudad Bolivar was Angostura. It was previously the capital of Gran Colombia, created by the liberator Simon Bolivar.

In the house of San Isidro, Bolivar wrote the message which he presented to the Congress of Angostura, whose headquarters was on the Plaza Bolivar.

The enormous bridge built over the Orinoco also bears the name of Angostura. It is the only bridge over this river, which it crosses at its narrowest point. The bridge is 1,678 metres long and is located about five kilometres from Ciudad Bolivar.

Among other places of historic interest for the tourist are the castle of Saint Francis of Assisi, the El Padrastro or San Diego palace and the El Zamuro fort.

Ciudad Bolivar has two important museums: the museum of Ciudad Bolivar was set up in the colonial house where the "Orinoco Mail", the official organ of the Congress of Angostura, was produced. The museum houses reminders of the history of the city.

The Jesus Soto Museum of Modern Art was built by the celebrated Venezuelan architect Carlos Raul Villanueva, and is named after the Venezuelan artist Jesus Soto, whose work is internationally known and has had considerable influence on contemporary art generally. A remarkable selection of his work is to be found in this museum, along with those of other artists, both Venezuelan and foreign.

The National Territory of Amazonas is an impressive Amazonian forest, a veritable ecological refuge bounded by two of the biggest rivers in the world, the Amazon and the Orinoco. It shares with the State of Bolivar an unrivalled flora and fauna, together with valuable natural resources.

75% of this territory is covered by dense forests and lush vegetation, proliferating under the excessive humidity and continual rainfall. The first European to visit the Amazonian forest of Venezuela was the geographer Alexander von Humboldt, who marvelled at the vegetation and at the primitive cultures which he encountered.

Puerto Ayacucho, the capital of the Territory, is situated on the banks of the Orinoco and has a population of 15,000. Its attractions include two parks: that of the Plaza Bolivar, and the Humboldt National Park.

The total population of the Territory does not amount to 30,000; the majority of them are aborigines living in small villages. They preserve their primitive culture, and are only just beginning to assimilate a different one, brought to them mainly by religious missions.

Many of the native tribes are nomadic; they engage in hunting, fishing and crop growing. Others are settled and cultivate yucca, ocumo and yams on small plots of land called conucos. They are scattered throughout the Territory; the best known are the Guahibos, the Maquiritares, the Guaicas, the Yarabaranas, the Guanahibos, the Piaroas and the Piacopos. Almost all of them live on the banks of the principal rivers: the Orinoco, the Ventuari, the Casiquiare, the Rio Negro and the Sipapo.

One of the most extensive Amazonian plains is the Savannah of Esmeralda; it has a dense tropical forest which during the rainy season blooms with innumerable flowers.

The Orinoco, the principal river of Venezuela, has its source in this Territory - in the Sierra de Parima, near the frontier of Brazil.

The craftwares in the region of Guayana are made by skilful native hands; they include hammocks, canoes, jars, hats, baskets, the main material being the palm fibre which abounds on the banks of the Orinoco. Among other native productions are necklaces and ceramics, not to mention a very wide range of musical instruments, among them flutes, maracas and drums. Canoes, arrows, harpoons and blow-pipes are of special interest. All these native craftwares reflect a high degree of creativity and sensitivity.

The folklore of Guayana comprises native songs and dances, many of them of a ritual nature. Among the villages where major festivals are celebrated are Santa Elena de Guairén and Guasipati.

The carnival of El Callao, a small mining community in the State of Bolivar, is renowned throughout Venezuela.

REGION DE LA GUAYANA

La région de la Guayana est peut-être l'endroit du Vénézuéla qui réunit la plus grande richesse de trésors naturels que l'homme puisse contempler, à laquelle s'ajoute un inépuisable mystère culturel et géographique non encore expliqué.

Cet immense territoire s'étend au sud et à l'est de l'Orénoque, couvrant preque la moitié du Vénézuéla (458 750 km²). La Guayana comprend les deux plus grandes unités politiques du Vénézuéla : la province de Bolivar, dans la moitié septentrionale, dont la capitale est Ciudad Bolivar et le territoire Fédéral d'Amazonas, dans sa partie méridionale qui a pour capitale l'agglomération de Puerto Ayacucho.

La nature a dotée la région de grands fleuves, de forêts vierges, d'une flore et d'une faune de grande beauté. Le massif Guayanés domine ces terres. Il est considéré comme la plus vieille formation géologique d'Amérique du Sud. Les fleuves ont modelé, au long des siècles, des élévations tabulaires à la végétation exubérante et à haut degré hygrométrique. Ces autels gigantesques furent appelés par les indiens « tepuyes » et ils ont, dans leurs cultures primitives une profonde signification mythologique : les dieux du bien et du mal, les déités de la nature et bêtes sacrées y habitent.

Le plus important est le Auyan-Tepuy, colosse qui s'élève à 2 640 m au-dessus du niveau de la mer. Du haut de l'Auyan-Tepuy, se jette le Saut de l'Ange, « Salto Angel », la chute d'eau la plus haute du monde : 972 m en chute libre depuis le plateau. Le Saut était connu depuis des temps immémoriaux par les indigènes qui le baptisèrent Churun-Meru, mais il doit son nom actuel à l'aviateur nord américain Jimmy Angel, qui, en 1933, repéra la cascade à son sommet de son avion de tourisme Flamingo. En essayant d'atterrir dans la plaine, celui-ci s'accidenta, et son équipage dut l'abandonner. L'avion a été conservé comme souvenir dans le musée des Forces Armées de Maracay.

Le Auyan-Tepuy couronne la savane qui commence dans la province de Bolivar et s'étend jusqu'au territoire d'Amazonas, couvrant une superficie de 32 000 km². Elle fut pendant plus de quatre siècles une fôret impénétrable où ses imposants sommets - entre autres le Mont Roraima, appelé Oraima-Tepuy par les indiens, avec ses 2 800 m - conservaient jalousement leurs secrets. Le voyageur y découvrira Canaima, paradis par excellence du touriste. Il y trouvera rassemblé tout ce que l'homme peut espérer dans son contact le plus intime avec la nature. A Canaima il pourra se promener, pratiquer des sports, et admirer des rivières, chutes d'eau et forêts vierges de l'endroit.

En Guayana, à côté d'arbres énormes, pousse l'orchidée, fleur délicate considérée comme la fleur nationale. Des oiseaux tropicaux, très divers, des jaguars, tapirs, pécaris, singes entre autres espèces de la faune, sont les hôtes des fôrets, savanes et des territoires riverains proches de l'Orenoque. Dans les eaux du fleuve vivent une grande variété de poissons ainsi que des tortues, caïmans, cabiais, le plus gros des rongeurs, etc.

La Guayana a également une importante richesse archéologique. Au fond du fleuve Caroni, on a trouvé les pétroglyphes de Guri, qui sont considérés comme les plus primitives expressions de l'artisanat vénézuélien.

Le Caroni est fameux pour ses chutes, parmi lesquelles celle de « La Llovizna » (la bruine), proche de Ciudad Guyana. Les eaux du Caroni ont été utilisées comme source d'énergie avec la construction du barrage du Guri, dont le nom rappelle ou provient de celui de la femme du cacique indien Guaragua.

Les rives du fleuve offrent au visiteur un extraordinaire lieu de distraction dans le « Parc Cachamay », situé à côté de La Llovizna, et pourvu de torrents attrayants.

La Guayana est le lieu de « l'El Dorado ». Cette belle légende est peut-être le produit le plus merveilleux de l'imagination des aborigènes américains. Elle fut inventée pour éloigner les conquistadors espagnols assoiffés de richesses et les diriger vers un lieu imaginaire, appelé « El Dorado » où ils trouveraient d'incalculables richesses en or et pierres précieuses. La légende de l'El Dorado est devenue un rêve d'aventuriers et de fous pour se transformer en une réalité où le mythe de l'or, du diamant et du « balaté » a pris des dimensions extraordinaires lorsque se sont ajoutés la richesse du fer, le développement hydroélectrique et les réserves en pétrole de la ceinture bitumineuse de l'Orenoque. Tout cela fait de la Guayana la « terre du futur », où le Vénézuéla détient ses plus grandes espérances.

Ciudad Guayana est l'expression de ce grand complexe industriel qui s'élève dans la région. Située au confluent des fleuves Orenoque et Caroni, elle a une population approximative de 200 000 habitants. Les grandes industries de l'acier, l'aluminium et minerai de fer y sont installées.

Ciudad Guayana est née de la fusion de Puerto Ordaz et San Félix, reliées aujourd'hui par un Pont sur le Caroni. C'est une ville moderne, avec des aéroports, de grandes autoroutes et le symbole du progrès économique du pays.

Ciudad Bolivar, capitale de la province a une population de près de 110 000 habitants. C'est une belle ville, à l'architecture principalement coloniale ; elle conserve des sites historiques qui évoquent des épisodes relatifs à l'époque de la colonie et de la lutte du Vénézuéla et de l'Amérique pour son indépendance.

Le premier nom de Ciudad Bolivar fut Angostura. En effet, elle en était auparavant la capitale, de la Grande Colombie, créée par le Libérateur Simon Bolivar. Dans la Maison de San Isidro, Bolivar rédigea le message qu'il présenta au Congrès d'Angostura, dont le siège se tenait sur la Place Bolivar.

Le gigantesque pont jeté sur l'Orenoque porte aussi le nom d'Angostura. C'est l'unique pont qui traverse ce fleuve, sur sa partie la plus étroite. Il a une longueur de 1 678 m et est à environ 5 km de Ciudad Bolivar.

Parmi d'autres lieux d'intérêt historique pour le touriste, il y a le château de Saint-François d'Assise, le Château El Padrastro ou San Diego et le Fortin El Zamuro.

Ciudad Bolivar a deux musées importants :

Le Musée de Ciudad Bolivar fut créé dans la maison coloniale où était élaboré « Le Courrier de l'Orenoque », organe officiel du Congrès d'Angostura. Dans ce musée sont exposées des témoignages de l'histoire de la ville.

Le Musée d'Art Moderne Jesus Soto fut construit par le célèbre architecte vénézuélien Carlos Raul Villanueva et il doit son nom à l'artiste, également vénézuélien, Jesus Soto, dont l'œuvre, au prolongement international, est inscrite dans les plus importants courants de l'art contemporain. Un extraordinaire échantillon de ses œuvres se trouve dans le Musée à côté de celles d'autres artistes tant nationaux qu'étrangers.

Le Territoire National d'Amazonas est une impressionnante forêt amazonienne, véritable refuge écologique encadré par deux des fleuves les plus grands du monde : l'Amazone et l'Orenoque. Il partage avec l'Etat de Bolivar sa flore et sa faune inégalables et ses richesses naturelles.

Les 75 % de son territoire sont des forêts à la végétation exubérante et dense dû à l'humidité excessive et aux pluies continuelles. Le premier européen qui visita la forêt amazonienne du Vénézuéla fut le géographe Von Humboldt qui s'émerveilla de l'admirable végétation et des cultures primitives qu'il y rencontra.

Puerto Ayacucho, capitale du territoire, est située au bord de l'Orenoque et a une population réduite de 15 000 habitants. Parmi ses attraits elle offre, en outre, deux parcs : celui de la place Bolivar et le Parc National Humboldt.

La population totale du territoire n'atteint pas les 30 000 habitants, la majorité de ceux-ci est aborigène répartis en petits villages. Ils conservent leur culture primitive, commençant maintenant à en assimiler une autre, amenée par les Missions religieuses.

La plupart des tribus indigènes sont nomades et se consacrent à la chasse, la pêche et aux problèmes agricoles. D'autres, à l'activité sédentaire, cultivent le yucca, l'ocumo et l'igname sur des lopins de terre (conucos). Ils sont disséminés sur tout le territoire. Parmi les plus connues sont les Guahibos, les Maquiritares, les Guaicas, les Yarabaranas, les Guanahibos, les Piaroas et les Piacopos, ils se trouvent presque tous sur les bords des fleuves principaux : l'Orenoque, le Ventuari, le Casiamare, le Rio Negro et le Sipapo.

L'une des plaines les plus étendues de l'Amazone est la Savane d'Esmeralda, avec une forêt dense et tropicale qui, à l'époque des grandes pluies se couvre de fleurs innombrables.

L'Orenoque, principal fleuve du Vénézuéla, prend sa source dans ce territoire de la Sierra de Parima, près de la frontière du Brésil.

L'artisanat de la région de Guayana propose, fabriqué par d'habiles mains indigènes des hamacs, des canots, des jarres, des chapeaux, des paniers fait avec la fibre de la palme de mauritie qui abonde sur les rives de l'Orenoque. Parmi les autres créations indigènes il faut noter les colliers et céramiques, plus une gamme très étendue d'instruments musicaux parmi lesquels les flûtes, les maracas et les tambours. Les canoés, pirogues, flèches, harpons et sarbacanes ont un intérêt particulier. L'artisanat indigène reflète une grande créativité et une sensibilité innée.

Le folklore de la région de Guayana est constitué par les danses et chants indigènes, à caractère rituel.

Parmi les villages qui célèbrent de grandes fêtes se trouvent Santa Elena de Guairén et Guasipati.

Le Carnaval de « El Calao », petite population minière de la province de Bolivar est réputé dans tout le Vénézuéla.

DIE GUAYANA - REGION

Die Guayana-Region ist wohl der Teil Venezuelas, der den grössten Reichtum an Naturschönheit vereinigt.

Dieses riesige Gebiet erstreckt sich südlich und östlich des Orinoko. Es umfasst fast die Hälfte des venezolanischen Territoriums (458.750 qkm), und schliesst die beiden grössten Staaten Venezuelas, den Staat Bolívar mit der Hauptstadt Ciudad Bolívar in seiner nördlichen Hälfte und das Territorio Federal Amazonas in seiner südlichen Hälfte mit der Hauptstadt Puerto Ayacucho ein.

Grosse Flüsse und Urwälder mit einer Flora und Fauna von seltener Schönheit kennzeichnen die Natur dieser Region. Das Bergland von Guayana beherrscht dieses Gebiet. Es wird als die älteste geologische Formation Südamerikas angesehen. Die Flüsse haben dort im Laufe der Jahrhunderte tafelförmige Erhebungen mit üppiger Vegetation geschaffen. Diese gigantischen Altäre wurden von den Indios «tepuys» genannt. In der primitiven Indio-Kultur haben sie eine tiefe mythologische Bedeutung: dort wohnen die Götter von Gut und Böse, die Natur- und die heiligen Tiergötter.

Die höchste Erhebung ist der «Auyan-Tepuy», ein gewaltiger Berg von 2.640 m Höhe über dem Meer. Der höchste Wasserfall der Welt, der Angel-Fall (Salto Angel) stürzt von dort ins Tal hinab. Der Wasserfall war den Indios seit undenkbaren Zeiten bekannt. Sie nannten ihn «Churún-Merú». Seinen heutigen Namen erhielt der Fall nach dem nordamerikanischen Piloten Jimmy Angel, der ihn 1933 von seinem kleinen Flugzeug «Flamingo» aus erblickte. Bei einem Landeversuch auf dem Plateau des Auyan-Tepuy ging das Flugzeug zu Bruch, und die Besatzung musste es aufgeben. Heute wird es als Erinnerungsstück im Armeemuseum von Maracay aufbewahrt.

Der Auyan-Tepuy beherrscht eine weit ausgedehnte Savanne, die im Staat Bolivar beginnt und sich bis zum Amazonasterritorium mit einer Fläche von 32.000 qkm erstreckt. Das Gebiet war während mehr als vier Jahrhunderten ein undurchdringlicher Urwald, dessen hohe Gipfel unter anderen der 2.800 m hohe Roraima-Berg, von den Indios Roraima-Tepuy genannt, eifersüchtig über seine Geheimnisse wachten. Der Reisende entdeckt dort Canaima, das Touristenparadies, wo er all das findet, was ein Mensch in engem Kontakt mit der Natur erfahren kann. In Canaima kann er wandern, Sport treiben, Ausflüge machen und sich an den Flüssen, Wasserfällen und Urwäldern der Umgebung erfreuen.

Neben Riesenbäumen finden wir in Guayana die Orchidee mit ihrer zarten Blüte, die Nationalblume Venezuelas. Tropische Vögel, Jaguare, Tapire, Pekaris, Affen, sind neben anderen Tierarten die Gäste der Wälder, Savannen und Küsten des Orinokogebietes. In den Flüssen lebt eine Vielzahl von Fischen, sowie Schildkröten, Kaimane, Wasserschweine u.s.w.

Guayana ist ebenfalls von archäologischer Bedeutung. Auf dem Grunde des Flusses Caroní fand man die Steininschriften von Guri. Sie gelten als erster Ausdruck venezolanischer Handwerkskunst.

Der Caroní ist wegen seiner vielen Stromschnellen bekannt. Zu ihnen gehört «La Llovisna» (der Sprühregen) in der Nähe von Ciudad Guayana. Die Wasser des Caroní werden seit dem Bau eines Staudammes bei Guri als Energiequelle genutzt. Der Damm ist nach der Frau des Indiohäuptlings Guaragua benannt.

Der in der Nähe des «Llovizna» Falles am Ufer des Flusses gelegene Park «Cachamay» mit seinen Stromschnellen ist ein sehenswerter Naturschutzpark.

Guayana ist das sogenannte «El Dorado». Diese Legende wurde wahrscheinlich von den Eingeborenen erfunden, um die goldgierigen spanischen Eroberer abzulenken und sie in ein Phantasieland mit dem Namen «El Dorado» zu locken, wo sie ungezählte Reichtümer an Gold und Edelsteinen finden würden. Die Legende vom «El Dorado» ist dann der Traum der Abenteurer und Phantasten geworden. Sie hat sich jedoch in Wirklichkeit verwandelt, denn heute werden dort Gold und Diamanten gefördert und Gummi («balata») gewonnen. Reiche Eisenerzvorkommen, die Entwicklung der Wasserkraft und die Erdölenergiequellen der Bitumenschicht des Orinoko-Gebietes kamen dazu. Alle diese Reichtümer machen Guayana zu einem Land der Zukunft, in das Venezuela grosse Hoffnungen setzt.

Die Stadt Ciudad Guayana ist der Mittelpunkt der grossen Industriekomplexe, die in dieser Region entstehen. Die ungefähr 200.000 Einwohner zählende Stadt liegt am Zusammenfluss der Flüsse Orinoko und Caroní. Sie ist Sitz einer bedeutenden Eisen-, Stahl- und Aluminiumverarbeitenden Industrie.

Ciudad Guayana entstand aus dem Zusammenschluss der beiden Städte Puerto Ordaz und San Felix, die heute durch eine Brücke über den Caroní verbunden sind. Es ist eine moderne Stadt mit Flughäfen und grossen Autobahnen, Symbole des wirtschaftlichen Fortschritt des Landes.

Die Hauptstadt des Staates, Ciudad Bolívar, hat eine Bevölkerung von ungefähr 110.000 Einwohnern. Es ist eine schöne Stadt mit einer im wesentlichen kolonialen Architektur. Ciudad Bolívar hat historische Stätten, die an bedeutsame Ereignisse der Kolonialepoche und des Unabhängigkeitskampfes Venezuelas und Südamerikas erinnern.

Der erste Name der Stadt Ciudad Bolívar war Angostura. Sie war zunächst die Hauptstadt von Grosskolumbien, das von dem Befreier Simón Bolívar gegründet worden war. Bolívar verfasste seine Botschaft an den Kongress von Angostura im Haus San Isidro im Ciudad Bolívar.

Die lange, den Orinoko überspannende Brücke trägt ebenfalls den Namen Angostura. Es ist die einzige Brücke über den Orinoko, die den Fluss an seiner schmalsten Stelle überspannt. Sie hat eine Länge von 1.678 Metern und liegt ungefähr 5 km von Ciudad Bolívar entfernt.

Andere historische Stätten sind die Festungen des Hl. Franz von Assisi, «El Padrastro», «San Diego» und die Befestigung «El Zamuro».

Ciudad Bolívar hat zwei wichtige Museen:

Das Museum von Ciudad Bolívar wurde im gleichen Haus eingerichtet in dem der «Orinokobote», das offizielle Organ des Kongresses von Angostura, verlegt wurde. In diesem Museum sind die geschichtlichen Zeugnisse der Stadt ausgestellt.

Das Museum für Moderne Kunst «Jesús Soto» wurde von dem bekannten venezolanischen Architekten Carlos Raúl Villanueva erbaut. Sein Name geht auf den venezolanischen Künstler Jesús Soto zurück, dessen international anerkanntes Werk zu den wichtigsten Strömungen der zeitgenössischen Kunst gehört. Wir finden hervorragende Beispiele seiner Werke neben denen anderer nationaler und internationaler Künstler in diesem Museum.

Das Bundesgebiet des Amazonas besteht aus dem beeindruckenden Amazonas-Urwald, eine wahrhaft ökologische Reserve, die von den beiden grösste Flüssen der Welt, Amazonas und Orinoko, eingefasst wird. Das Amazonasterritorium hat die gleiche Fauna und Flora und den gleichen natürlichen Reichtum, wie der Staat Bolivar.

75% seines Territoriums bestehen aus dichten Regenwäldern mit üppiger Vegetation, die von den ständigen Regenfällen gefördert wird. Der erste Europäer, der den amazonischen Urwald Venezuelas besuchte, war der Geograph Alexander von Humboldt, der die herrliche Vegetation und die primitiven Kulturen, die er vorfand, sehr bewundert und beschrieben hat.

Puerto Ayacucho, die Hauptstadt des Territoriums, liegt am Ufer des Flusses Orinoko. Sie hat eine Bevölkerung von 15.000 Einwohnern. Zu ihren Sehenswürdigkeiten gehören u.a. zwei Parks, der Bolívarplatz und der Humboldt-Nationalpark.

Die Gesamtbevölkerung des Territoriums erreicht kaum 30.000 Einwohner, die in ihrer Mehrzahl in kleinen Dörfern leben. Sie bewahren ihre primitive Kultur und beginnen erst langsam, die von den Missionen mitgebrachte moderne Kultur anzunehmen.

Die Mehrzahl der Eingeborenen leben noch mehr oder weniger nomadisch und ernähren sich mit Jagd und Fischfang. Andere sind sesshaft und bauen auf kleinen Grundstücken (conucos) «yucca», «ocumo», «ñame» an. Die Stämme sind über das ganze Territorium verstreut. Zu den bekannteren gehören die Guahibos, die Maquiritares, die Guaicas, die Yarabaranas, die Guanahibos, die Piaroas und die Piacopos. Sie siedeln fast alle an den Ufern der Hauptflüsse: Orinoko, Ventuari, Casiquiare, Río Negro und Sipapo.

Eine der ausgedehntesten Ebenen des Amazonas ist die Savanne Esmeralda, mit einem dichten tropischen Wald, der sich zur Regenzeit mit unzähligen Blumen bedeckt.

Der grösste Fluss Venezuelas, der Orinoko, entspringt in der Sierra de Parima, in der Nähe der brasilianischen Grenze.

Die handwerklichen Produkte der Guayana-Region werden von geschickten Eingeborenenhänden hergestellt: Hängematten, Boote, Krüge, Hüte und Körbe werden hauptsächlich aus den Fasern der Mauritius-Palme angefertigt, die in grosser Menge an den Ufern des Orinokos wächst. Erwähnenswert sind die von den Eingeborenen hergestellten Halsbänder und Keramiken, eine ausgedehnte Auswahl an Musikinstrumenten, zu denen Flöten, Maracas und Trommeln gehören. Die Kanus, Pirogen, Pfeile, Harpunen und Blasrohre der Eingeborenen sind von besonderem Interesse. Ihre Handwerkskunst bezeugt einen beachtlichen Ideenreichtum.

Die folkloristischen Tänze und Gesänge haben meist rituellen Charakter. Santa Elena de Guairén und Guasipata sind Orte, wo grössere Feste stattfinden.

Der Karneval von «El Callao», einer kleinen Bergarbeiterortschaft im Staate Bolívar, ist in ganz Venezuela bekannt.

El Salto Hacha del Río Carrao.

The "Salto Hacha" of the River Carrao.

Le "Salto Hacha" de la rivière Carrao.

"Salto Hacha" des Carrao-Flusses.

Canaima, en el corazón de la Gran Sabana.

Canaima, in the heart of the great savannah.

Canaima au coeur de la grande savane.

Canaima, im Herzen der grossen Savanne.

El Salto Angel, el salto de agua más alto del Mundo: 972 m.

Angel-Fall, discovered in 1933 by Jimmy Angel.

Salto Angel, la plus haute chute du monde : 972 m.

"Salto Angel" der höchste Wasserfall der Welt: 972 Meter.

Salto Angel, el salto de agua más alto del Mundo: 972 m.

Angel-Fall, the highest in the world: 972 metres.

Salto Angel, la plus haute chute du monde : 972 m.

"Salto Angel" der höchste Wasserfall der Welt: 972 Meter.

"Auyan-Tepuy". ➡

TERRITORIO FEDERAL DELTA AMACURO

El territorio Delta Amacuro abarca una exténsa superficie de 40.200 Kms.². Recibe su nombre del Río Amacuro, afluente del Orinoco.

Es una región de selvas e inexplorados bosques, situada al este de Venezuela. Sus costas dan al Océano Atlántico. Presenta algunas montañas, entre ellas la Sierra de Imataca y la Sierra de Upata, ambas pertenecientes al sistema de Guayana. En la Sierra de Imataca abunda el mineral de hierro. En las tierras del Territorio se encuentran también petróleo y oro.

Esta vasta región se halla, sin embargo, semidesértica, estimándose sus habitantes en alrededor de 50.000 personas. La mayoría de éstas son indígenas agrupados en numerosos poblados a orillas de los ríos, accesibles solamente en lancha o curiara. La única localidad de cierta importancia es la capital, Tucupita, cuyo nombre es indígena.

La mayor población del Delta Amacuro la constituyen los indígenas de la tribu de los Guaraúnos, dedicados a la caza y pesca.

El Orinoco, el río más grande de Venezuela y el tercer río de la América del Sur, nace en la Sierra Parima, cerca de la frontera con Brasil, y después de describir un inmenso arco de 2.100 Kms. de longitud, desemboca en el Océano Atlántico por un Delta de 36 caños, ubicado en este Territorio. Algunos de estos caños son profundos y de fácil navegación, otros son sumamente angostos, y están poblados de manglares. Los caños forman múltiples islas, lo que le da al Delta una fisonomía muy peculiar.

Las tierras son sumamente fértiles, aptas para la agricultura, pero poco cultivadas debido a que todos los años, en los meses de julio a septiembre, las aguas del Orinoco suben de nivel e inundan grandes superficies. Para proteger las tierras deltaicas de las crecidas del Orinoco y hacerlas cultivables de manera ininterrumpida, se construyó el Dique del Caño Manamo. Hoy se trabaja aceleradamente por su recuperación, ya que constituyen un importante potencial económico del país.

THE FEDERAL TERRITORY OF DELTA AMACURO

The Territory of Delta Amacuro covers an area of 40,200 square kilometres. It derives its name from the River Amacuro, a tributary of the Orinoco.

It is a region of unexplored forests and woodlands in the East of Venezuela. It has an Atlantic seaboard, and several mountains, including the Sierra Imataca and the Sierra de Upata, both of them belonging to the Guayana System. Iron ore is plentiful in the Sierra de Imataca. Oil and gold are also found in this Territory.

This vast region is however almost deserted, its population being estimated at about 50,000. The majority are natives who live in the numerous villages on the river banks, accessible only by boat. The only locality of any importance is the capital, Tucupita, which has an Indian name.

The biggest township in Delta Amacuro is inhabited by members of the Guaraúnos tribe, who are fishermen and hunters.

The Orinoco, the biggest river in Venezuela, is the third biggest river in South America. After describing an immense curve 2,100 kilometres long, it flows into the Atlantic Ocean through a delta which has thirty-six arms and is situated in this Territory. Some of these arms are deep and easily navigable. Others are extremely narrow and abound in mangroves. The arms form numerous islands, giving the delta a very special configuration.

The land is extremely fertile, suitable for crop growing, but there is little cultivation because every year from July to September the level of the Orinoco rises and its waters flood large areas. To protect the land of the delta from the flooding of the Orinoco and make it cultivable all the year round, the dyke of Caño Manamo has been built. At the present time, work is going forward unceasingly on the reclamation of this land, because it constitutes an important economic potential for Venezuela.

LE TERRITOIRE FEDERAL DELTA AMACURO

Le territoire du Delta Amacuro couvre une étendue de 40 200 km². Il reçoit son nom du fleuve Amacuro, affluent de l'Orénoque.

C'est une région de forêts et de bois inexplorés, située à l'est du Vénézuéla. Ses côtes donnent sur l'Océan Atlantique. On y trouve quelques montagnes parmi lesquelles la Sierra de Imataca et la Sierra de Upata, toutes les deux appartenant au système de Guayana. Le minerai de fer abonde dans la Sierra de Imataca. On y trouve également du pétrole et de l'or.

Cette vaste région est, cependant, semi-désertique, sa population étant estimée à environ 50 000 habitants. La majorité est indigène regroupée dans de nombreux villages au bord des fleuves, accessibles seulement en bateaux ou pirogues. La seule localité de quelque importance est la capitale, Tucupita dont le nom est indigène.

La plus grande agglomération de Delta Amacuro est constituée par les indigènes de la tribu des Guaraunos qui vivent de chasse et de pêche.

L'Orénoque, le plus grand fleuve du Vénézuéla est le troisième fleuve d'Amérique du Sud ; après avoir décrit un immense arc long de 2 100 km, il se jette dans l'Océan Atlantique, par un delta de 36 bras, situé sur ce territoire. Quelques-uns de ces bras sont profonds et de navigation facile, d'autres sont extrêmement étroits et couverts de palétuviers. Les bras formes de nombreuses îles, ce qui confère au delta une physionomie très particulière.

Les terres sont extrêmement fertiles, aptes à l'agriculture, mais peu cultivées car tous les ans, de juillet à septembre, le niveau des eaux de l'Orénoque monte et inonde de grandes surfaces. Pour protéger les terres du delta des crues de l'Orénoque et les rendre cultivables de façon ininterrompue, on a construit la digue de Cano Manamo. Aujourd'hui, on travaille sans relâche à leur récupération, car elles constituent un important potentiel économique pour le pays.

DER BUNDESSTAAT DELTA AMACURO

Dieses Gebiet erstreckt sich über eine Fläche von 40.000 qkm. Der Amacurofluss, ein Nebenfluss des Orinoko, gibt ihm seinen Namen.

Das Territorium ist ein im Osten Venezuelas gelegenes noch nicht ganz erforschtes Urwaldgebiet. Seine Küsten liegen am Atlantischen Ozean. Das Gebiet durchziehen einige Gebirge, darunter die Sierra de Imataca und die Sierra de Upata. Beide gehören zum Gebirgssystem von Guayana. Die Sierra de Imataca enthält sehr viel Eisenerz. Weitere Bodenschätze sind Gold und Erdöl.

Die Region ist jedoch zum Teil eine Halbwüste. Seine Bevölkerung zählt ungefähr 50.000 Seelen. Die Mehrzahl dieser Bevölkerung besteht aus Eingeborenen, die in Dörfern an den Ufern der Flüsse leben, Dörfer welche nur zu Schiff oder mit Pirogen erreicht werden können, Tucupita, die Hauptstadt, ist die einzige grössere Siedlung.

Der Stamm der Guaraúnos, der sich von Jagd und Fischfang ernährt, ist die grösste Bevölkerungsgruppe des Amacurodeltas.

Der Orinoko ist der grösste Fluss Venezuelas, und der drittgrösste in Südamerika. Nachdem er einen riesigen Bogen von 2.000 km Länge beschrieben hat, ergiesst er sich in einem 36-armigen Delta, das im Territorium gelegen ist, in den Atlantik. Einige Arme des Deltas sind tief und auch schiffbar, andere sind äusserst schmal und von Mangrovenbäumen gesäumt. Die Arme bilden zahlreiche Inseln, die dem Delta sein typisches Aussehen geben. Der Boden ist ausserordentlich fruchtbar und für Landwirtschaft geeignet. Er wird jedoch wenig bestellt, denn alle Jahre überschwemmen die Wasser des Orinokos von Juli bis September weite Flächen. Um das Delta gegen die Überschwemmungen zu schützen und den Boden nutzbar zu machen, wurde der Damm von Caño Mánamo gebaut. An der landwirtschaftlichen Nutzbarmachung dieser Gebiete wird intensiv gearbeitet und sie stellen ein bedeutendes Wirtschaftspotential für das Land dar.

Indios en el Delta Amacuro.

Indians of the Amacuro Delta.

Indiens du Delta Amacuro.

Indianer des Delta Amacuro.

ECONOMIA

I. El Petróleo

El petróleo ha representado en los últimos cincuenta años el factor primordial de la economía venezolana, al punto que en la actualidad más del 90% del presupuesto nacional proviene de la renta petrolera.

Esta sustancia, que vino a constituir la fuente de energía que mantiene en movimiento la civilización moderna, era conocida por los aborígenes venezolanos, quienes le daban el nombre de "mene". Es en 1878 que se entrega la primera concesión para explotar petróleo en Venezuela. Esta fecha señala, entonces, el inicio de la industria venezolana de hidrocarburos. La compañía "Petrolia" del Táchira fue la encargada de comenzar las operaciones de explotación, perforación, refinación y venta del petróleo. Los yacimientos se encontraban en la aldea de Alquitrana, Estado Táchira, en la frontera con Colombia.

En 1914 se descubre en los alrededores de Maracaibo el Campo Mene Grande, con lo cual ya en 1917 la producción se eleva a 332 barriles diarios.

Pero el gran "boom" petrolero lo marca la explosión, en el Estado Zulia, el 14 de diciembre de 1922, del Pozo Barroso No. 2, iniciándose el desarrollo industrial del petróleo en el país. Hoy esta industria produce un promedio de 2.290.473 barriles diarios, limitado a este volúmen en virtud de la política nacional de conservación de los recursos naturales no renovables.

El principal logro alcanzado en la historia del petróleo venezolano es la Nacionalización de la industria del ramo. Luego de un amplio debate democrático, el 1o. de enero de 1976 queda aprobada la nacionalización del petróleo, por lo cual las compañías petroleras, en su mayoría en manos de consorcios extranjeros, pasaron, previa indemnización, al poder soberano del Estado Venezolano. La compañía estatal encargada de la administración de esta industria es "Petróleos de Venezuela", PETROVEN. Esta empresa ocupa, con sus filiales, a más de 22 mil empleados, y tiene una dotación en equipos de alta calidad. Produce una venta al exterior por un valor total de aproximadamente 7.000 millones de dólares, con lo que Venezuela se sitúa en el tercer lugar como país exportador de hidrocarburos. Se calcula que las reservas probadas están en el orden de los 18.000 millones de barriles.

Los dos grandes complejos industriales de la actual industria petroquímica son El Tablazo en el Estado Zulia y el de Morón, en el Estado Carabobo.

Además de estas zonas ya industrializadas, Venezuela posee la denominada Faja Petrolífera del Orinoco, cuya exploración la inició la Corporación Venezolana de Guayana (CVG) en 1973.

La Faja se extiende desde el Delta del Orinoco, cerca de Tucupita, hasta el alto de El Baúl, cerca de Calabozo, abarcando una superficie aproximada de 45.000 Kms.

Los cálculos más prudentes que se han hecho en relación a la cantidad de petróleo de esta Faja, lo estiman en 700.000 millones de barriles. Esta cifra es superior a las reservas totales de petróleo conocidas hoy en el mundo entero.

Al lado de este fenómeno de la Faja Petrolífera del Orinoco, se abre una frontera más para la Industria Petrolera con la exploración de petróleo costa afuera, es decir, en la Plataforma Continental que abarca desde el Golfo de Venezuela hasta el área norte de Paria y la plataforma del Delta del Orinoco. En todas estas regiones se llevan a cabo estudios para determinar su potencialidad en petróleo y las posibilidades de explotación industrial. Hasta ahora se han hecho diversos cálculos que oscilan entre 7.000 y 31.880 millones de barriles.

En 1960, Venezuela contribuye de manera decisiva a la formación de la Organización de Países Exportadores de Petróleo (OPEP) y se constituye desde entonces en uno de sus principales y más activos miembros, actuando como vocero de la aspiración de las naciones productoras de petróleo para lograr un trato justo por parte de los maises industrializados y es factor permanente de la actuación responsable y unitaria de la OPEP como fuerza fundamental en la economía mundial.

II. La Industria Siderúrgica

En 1960 se crea la Corporación Venezolana de Guayana, cuya tarea es estudiar, planificar y promover el desarrollo integral de la región sur-oriental del país.

La principal industria administrada por la CVG, a través de la empresa estatal Siderúrgica del Orinoco (SIDOR), es la industria del hierro.

Desde que, en 1947, fueron descubiertos los grandes yacimientos de hierro en el Cerro Bolívar, al sur de Ciudad Bolívar, la industria del hierro va adquiriendo una importancia creciente en la economía del país.

Esta industria fue nacionalizada en 1975. Se creó entonces la Empresa Ferrominera Orinoco, encargada de explotar y exportar el mineral de hierro. Al propio tiempo, se ha dado impulso al desarrollo y expansión de la industria del acero, proyectándose la creación de una nueva planta ubicada en el Estado Zulia, con lo que el mineral de hierro será destinado en su casi totalidad a los proyectos de producción nacional de acero, con el objeto de elevarla, en un período de diez a quince años, a 15 millones de toneladas anuales.

La producción de aluminio, material abundante en Guayana, ha experimentado también un notable incremento y se prevé su crecimiento con la creación de nuevas instalaciones, de manera que Venezuela eventualmente se convertirá en un importante exportador de este producto.

La Central Hidroeléctrica del Guri, en Guayana, es la más importante generadora de la energía necesaria para el desarrollo industrial del país. Se encuentra actualmente en ampliación, lo que le permitirá alcanzar una capacidad de 9 millones de kilovatios, colocándose entre las mayores del mundo.

En Guayana se encuentran también yacimientos de oro, diamante, bauxita y otros minerales valiosos.

III. La agricultura

El "boom" petrolero que experimenta Venezuela a comienzos de siglo, desplaza a la agricultura del centro de la economía, por lo que ésta sufre un notable descenso. Consecuencia social de ello ha sido la migración de un gran número de campesinos a las principales ciudades del país, en busca de mejores oportunidades. En vista de esto, se han tomado medidas para el resurgimiento y progreso de la agricultura nacional, de manera que pueda abastecer la creciente demanda de alimentos. Entre estos se cuenta el acondicionamiento en el Delta del Orinoco, de 300 mil hectáreas de tierras aptas para el cultivo.

Se cultiva principalmente en el país: algodón, arroz, avena, bananas, papa, cacao, café, cebolla, frijoles, guisantes, maíz, maní, legumbres, tabaco, trigo, caña de azúcar, sisal, además de una gran variedad de frutas.

IV. La ganadería

Con el fin de robustecer la ganadería en el país se equipa a las regiones ganaderas de sistemas modernos de cría, procurando resolver, mediante el sistema de embalses, el problema de las periódicas sequías e inundaciones que asolan los estados llaneros, tradicional región de cría de ganado vacuno y caballar desde la época de la Colonia.

Los más importantes estados ganaderos son: Apure, Guárico, Barinas, Lara, Falcón y Zulia. En ellos se crían, además de ganado vacuno y caballar, cerdos, ovejas, mulas, asnos y gallinas.

V. La pesca

Venezuela, con su extensa costa marítima, está considerada como el primer país pesquero del Caribe por los extraordinarios recursos de sus mares; ha sido históricamente, un país pesquero. Entre los primeros estímulos de la colonización española estuvo la pesca de perlas en la isla de Cubagua. La pesca se ha desarrollado de manera contínua, siendo las zonas de mayor importancia la oriental, siguiéndole la occidental y la central.

Entre las especies más abundantes se encuentran el corocoro, el arenque, la lisa, el carite, el mero, la sardina, el camarón y una gran variedad de moluscos.

VI. La industria manufacturera

A partir de la riqueza en materias primas de que dispone Venezuela, se han desarrollado numerosas industrias manufactureras, entre ellas la de alimentos, textiles, calzado, tabaco, derivados del petróleo, maquinarias, equipos eléctricos, papel, caucho, etc., las cuales proporcionan empleo a una creciente fuerza laboral.

THE ECONOMY

Oil

For some fifty years past oil has been the key commodity in the Venezuelan economy, and at the present time oil revenue covers more than 90% of the national budget.

This resource, on which modern civilization now so heavily depends, was known to the Venezuelan aborigines. The first oil concession in Venezuela was granted in 1878, and the Venezuelan oil industry dates from that year. The Tachira oil company was assigned the task of commencing the operations of drilling, extracting, refining and marketing oil in fields located in the village of Alquitrana, in the State of Tachira on the frontier of Colombia.

In 1914, the Campo Mene Grande was discovered in the neighbourhood of Maracaibo. This brought production up to 332 barrels a day by 1917.

But the real oil boom started with the gushing of the Barroso nº 2 well in the State of Zulia on 14th December 1922. Nowadays production amounts to an average of 2,930,473 barrels a day, and is restricted to that level under the national policy of conserving non-renewable natural resources.

The greatest success achieved in the Venezuelan oil sector is the nationalization of the industry. After wide-ranging democratic discussion, the oil industry was nationalized on 1st January 1976, and as a result the oil companies, most of them in the hands of foreign consortiums, were indemnified and taken over by the government. The State Company responsible for the industry is Petroleos de Venezuela (Petroven), which together with its subsidiaries employs more than 22,000 persons and is extremely well equipped. Foreign sales amount to around $7,000 million, placing Venezuela third among the world's oil exporters. Proven reserves are estimated at approximately 18,000 million barrels.

The two principal petrochemical complexes are at El Tablazo in the State of Zulia and Moron in the State of Carabobo.

In addition to these industrial zones, there is the Orinoco oil strip, whose exploration was commenced by the Venezuelan Corporation of Guayana (CVG) in 1973. The strip extends from the Delta of the Orinoco, near Tucupita, to El Baul, near Calabozo, and covers nearly 45,000 square kilometres. Conservative estimates put its reserves at 700,000 million barrels, more than the whole world's total known oil reserves at the present time.

Another opportunity open to the oil industry is the exploitation of off-shore fields on the continental shelf extending from the Gulf of Venezuela to the Northern zone of Paria, and also in the Orinoco Delta. In these areas surveys are in progress to determine the capacities and the possibilities of industrial exploitation. Up to the present, calculations range from 7,000 million to 31,000 million barrels.

In 1960 Venezuela made a decisive contribution to the creation of the Organization of Petroleum Exporting Countries (OPEC), and has become one of the principal and most active members of that body, acting as spokesman for the petroleum producing nations in their attempt to obtain fair treatment from the industrialized countries. Venezuela also makes a permanent contribution to the responsible and unified action of OPEC as a basic force in the world economy.

Mining and Metallurgy

The Venezuelan Corporation of Guayana (CVG) was formed in 1960; its task is to study, plan and promote the integrated development of the South-Eastern region of the country.

The principal industry managed by CVG, through the State-owned Steel Industry of the Orinoco (SIDOR) is the iron ore industry. Since the extensive iron ore deposits of Mount Bolivar were discovered in 1947, South of Ciudad Bolivar, this industry has acquired a growing importance in the national economy.

It was nationalized in 1975, and the Empresa Ferrominera Orinoco was created to mine and export iron ore. At the same time, impetus was given to the development and expansion of the steel industry with the planning of a new plant located in the State of Zulia, so that almost all the iron ore will be used for national steel production, bringing it up to 15 million tons annually within ten to fifteen years.

The production of aluminium, another resource abounding in Guayana, has also increased markedly and is expected to rise further with the building of new installations designed to make Venezuela a major exporter of aluminium.

The hydroelectric plant at Guri, in Guayana, is Venezuela's biggest producer of the energy essential to the industrial development of the country. It is currently being enlarged to bring its capacity up to 9 million KW, making it one of the largest hydroelectric plants in the world.

Guayana also has deposits of gold, diamonds, bauxite and other valuable mineral resources.

Agriculture

The oil boom which Venezuela enjoyed at the beginning of the century displaced agriculture from the centre of the economy and caused it to decline appreciably. The social consequence of this was the migration of a large number of peasants to the towns and cities, in search of better opportunities. Steps are now being taken to revive and develop the country's agriculture so that it may meet the growing demand for foodstuffs. Among other projects is the reclamation of 300,000 hectares of arable land in the Orinoco Delta.

Venezuela's main crops are cotton, rice, oats, bananas, potatoes, cocoa, coffee, onions, beans, peas, maize, peanuts, tobacco, wheat, sugar cane, sisal and a wide variety of fruits.

Livestock farming

To promote livestock farming, the regions concerned are being provided with modern facilities. By means of dams, attempts are being made to solve the problem of periods of drought and flooding which affect the plains, the traditional region for the raising of cattle and horses since the Colonial period.

The major livestock farming States are Apure, Guarico, Barinas, Lara, Falcon and Zulia. In addition to cattle and horses, pigs, sheep, mules, donkeys and chickens are reared.

Fishing

With its extensive coastline, Venezuela is the major fishing country of the Caribbean. Indeed, it is historically a fishing country, and its waters abound in resources. The first encouragement in this field in the Colonial period was given to pearl fishing off the island of Cubaga. Since then the fishing industry has steadily developed, the principal areas being the East, West and Central coasts.

The most abundant species include corocoros, herrings, mullet, sawfish, groupers, sardines, shrimps, and a wide variety of shellfish.

The manufacturing industries

Venezuela's wealth of raw materials has given rise to numerous manufacturing industries, among them food, textiles, footwear, tobacco, petroleum derivatives, machinery, electrical equipment, paper, and rubber. They all provide employment for a growing labour force.

ECONOMIE

I. Le pétrole

Le pétrole a représenté ces cinquante dernières années le facteur principal de l'économie vénézuélienne, au point que, actuellement plus de 90 % du budget national provient du revenu pétrolier.

Cette substance, qui devint la source d'énergie garantissant la bonne marche du pays, était connue des aborigènes vénézuéliens. Ils lui donnaient le nom de « bitume ». C'est en 1878 qu'est donnée la première concession pour exploiter le pétrole du Vénézuéla. Cette date marquera, alors, le début de l'industrie vénézuélienne des hydrocarbures. La compagnie « pétrolière » du Tachira fut chargée de commencer les opérations d'exploitation, forage, raffinage et vente du pétrole. Les gisements étaient situés dans le village de Alquitrana, province du Tachira, à la frontière de la Colombie.

En 1914, on découvre aux alentours de Maracaibo le « Campo Mene Grande » grâce auquel, dès 1917, la production atteint 332 barrils par jour.

Mais c'est l'explosion du Puits Barroso N° 2, dans l'Etat de Zulia, le 14 décembre 1922 qui marque le grand « boom » pétrolier, amorçant le développement industriel du pétrole dans le pays. Aujourd'hui cette industrie produit une moyenne de 2 290 473 barrils par jour, limitée à ce volume en vertu de la politique nationale de conservation des ressources naturelles non renouvelables.

Le principal succès, atteint dans l'histoire du pétrole vénézuélien, est la nationalisation de l'industrie du secteur. Après un ample débat démocratique, la nationalisation de l'industrie du pétrole est approuvée le 1er janvier 1976 et de ce fait, les compagnies pétrolières, en majorité entre les mains de consortiums étrangers, passèrent, après indemnisation de ceux-ci, au pouvoir souverain de l'Etat vénézuélien. La compagnie d'Etat chargée de l'administration de cette industrie est la « Pétroleos de Vénézuéla », PETROVEN. Cette entreprise occupe, avec ses filiales, plus de 22 000 personnes et possède un équipement de haute qualité. Le chiffre de vente à l'extérieur avoisine les 7 milliards de dollars, ce qui place le Vénézuéla au troisième rang des pays exportateurs d'hydrocarbures. On calcule que les réserves prouvées sont de l'ordre de 18 milliards de barrils.

Les deux grands complexes industriels de l'actuelle industrie pétrochimique sont El Tablazo dans l'Etat de Zulia et celui de Moron, dans l'Etat de Carabobo.

Outre ces zones déjà industrialisées, le Vénézuéla possède la Frange Pétrolifère de l'Orenoque, dont l'exploration a débuté, en 1973, par la Corporation Vénézuélienne de Guayana (CVG).

La Frange s'étend depuis le Delta de l'Orenoque, près de Tucupita, jusqu'au niveau de El Baul, près de Calabozo, couvrant une surface de près de 45 000 km².

Les calculs les plus prudents qui ont été faits quant à la quantité de pétrole de cette Frange l'estiment à 700 milliards de barrils. Ce chiffre est supérieur aux réserves totales du pétrole connues aujourd'hui dans le monde entier.

A côté de ce phénomène de la Frange Pétrolifère de l'Orenoque, un débouché de plus est ouvert à l'Industrie Pétrolière avec l'exploitation du pétrole « Off shore », c'est à dire, sur la plateforme continentale qui s'étend du Golfe du Vénézuéla à la zone nord de Paria et la plateforme du Delta de l'Orenoque. Dans toutes ces régions des études sont entreprises pour déterminer leur capacité pétrolière et les possibilités d'exploitation industrielle. Jusqu'à maintenant les divers calculs oscillent entre 7 et 31 milliards de barrils.

En 1960, le Vénézuéla contribue de manière décisive à la formation de l'Organisation des Pays Exportateurs du Pétrole (OPEP) et il est devenu l'un de ses principaux et plus actifs membres, agissant comme porte-voix de l'aspiration des nations productrices de pétrole, pour parvenir à un traitement juste de la part des pays industrialisés. Il agit aussi en tant que facteur permanent de l'action responsable et unitaire de l'OPEP comme force fondamentale de l'économie mondiale.

II. L'industrie sidérurgique

En 1960 est créée par la Corporation Vénézuélienne de Guayana, dont la tâche est d'étudier, planifier et promouvoir le développement intégral de la région sud-est du pays.

La principale industrie gérée par la CVG, à travers l'entreprise sidérurgique étatique de l'Orenoque (SIDOR), est l'industrie du fer.

Depuis qu'en 1947, les grands gisements de fer du Mont Bolivar ont été découverts, au sud de Ciudad Bolivar, l'industrie du fer acquiert une importance croissante dans l'économie du pays.

Cette industrie est nationalisée en 1975. L'Entreprise Ferrominière Orenoque est alors créée pour exploiter et exporter le minerai de fer. En même temps, une impulsion est donnée au développement et à l'expansion de l'industrie de l'acier, avec le projet d'une nouvelle usine située dans l'Etat de Zulia ; ainsi le minerai de fer sera destiné, dans sa presque totalité aux projets de production nationale d'acier, ayant pour but de l'élever, le rendement dans une période de dix à quinze ans, à 15 millions de tonnes par an.

La production d'aluminium, abondante en Guayana, enregistre également une nette augmentation et on prévoit son accroissement avec la création de nouvelles installations, de façon à ce que éventuellement le Vénézuéla puisse devenir un important exportateur de ce produit.

La Centrale hydroélectrique du Guri, en Guayana, est la plus importante génératrice pour l'énergie indispensable au développement industriel du pays. Elle se trouve actuellement en pleine expansion, ce qui lui permettra d'atteindre une capacité de 9 millions de KW, se plaçant parmi les plus importantes du monde.

On trouve également en Guayana des gisements d'or, de diamant, de bauxite et autres minerais précieux.

III. L'agriculture

Le « boom » pétrolier que connaît le Vénézuéla au début du siècle, fait perdre à l'agriculture le 1er rang qu'elle occupait dans l'économie du pays. La conséquence sociale en est la migration d'un grand nombre de paysans vers les principales villes du pays, à la recherche de meilleurs emplois. En raison de ce phénomène, des mesures ont été prises pour la renaissance et le progrès de l'agriculture nationale, de manière à ce que celle-ci puisse répondre à la demande alimentaire croissante. Entre autre, on compte sur l'aménagement du Delta de l'Orenoque qui représente 300 000 hectares de terres cultivables.

On cultive principalement dans le pays : le coton, le riz, l'avoine, les bananes, la pomme de terre, le cacao, le café, l'oignon, les haricots, les petits pois, le maïs, la cacahuète, les légumes, le tabac, le blé, la canne à sucre, le sisal, plus une grande variété de fruits.

IV. L'élevage

Afin de fortifier l'élevage dans le pays, on équipe les régions d'élevage de systèmes modernes, qui doivent résoudre, au moyen de barrages, le problème des périodes de sécheresse et d'inondations qui dévastent les états de la llanos. Ces régions en effet sont spécialisées dans l'élevage des bovins et des chevaux depuis l'époque de la Colonie.

Les états éleveurs les plus importants sont : Apure, Guarico, Barinas, Lara, Falcon et Zulia. Outre les bovins et les chevaux on y élève des porcs, des brebis, des mules, des ânes et des poules.

V. La pêche

Le Vénézuéla, avec son vaste littoral, est considéré comme le premier pays pêcheur des Caraïbes avec les extraordinaires ressources de ces mers ; il a été historiquement un pays de pêche. Les premiers encouragements de la colonisation espagnole furent pour la pêche des perles dans l'île de Cubagua. La pêche s'est développée de façon continuelle, les zones les plus importantes étant la côte.

Parmi les espèces les plus abondantes, on trouve le corococo, le hareng, le muge, le poisson-scie, le mérou, la sardine, la crevette et une grande variété de mollusques.

VI. L'industrie manufacturière

A partir de la richesse en matières premières dont dispose le Vénézuéla, se sont développées de nombreuses industries manufacturières, entre autres celles de l'alimentation, des textiles, de la chaussure, du tabac, des dérivés du pétrole, des machines, des équipements électriques, du papier, du caoutchouc, etc., lesquelles offrent un nombre d'emplois de plus en plus important.

WIRTSCHAFT

I. Das Erdöl

Das Erdöl stellt in den letzten fünfzig Jahren den bedeutendsten Faktor der venezolanischen Wirtschaft dar. Heute stammen mehr als 90% des nationalen Haushalts aus den Erdölerträgen.

Dieser Rohstoff, der als Energiequelle die moderne Zivilisation in Gang hält, war den venezolanischen Eingeborenen bereits unter dem Namen «Bitumen» bekannt. Die erste Förderkonzession für Erdöl wurde im Jahre 1878 erteilt. Dieses Datum ist der Ausgangspunkt für die venezolanische Industrie flüssiger Brennstoffe. Die Tachira-Erdölgesellschaft wurde mit der Ausbeutung, d.h. mit der Bohrung, der Raffinierung und dem Verkauf des Erdöls betraut. Diese Erdölvorkommen lagerten unter dem Dorf Alquitrana im Staate Tachira an der kolumbianischen Grenze.

Ab 1917 steigerte sich die Produktion auf 332 Barrel pro Tag dank der Entdeckung des «Campo Mene Grande» in der Umgebung von Maracaibo im Jahre 1914.

Der eigentliche Erdölboom begann jedoch erst am 14. Dezember 1922 mit dem plötzlichen Fündigwerden des Bohrloches Barroso N° 2 im Staate Zulia, was die Ölindustrie des Landes erst richtig in Gang setzte. Heute produziert dieser Industriezweig im Durchschnitt 2,930,473 Barrel pro Tag. Dies ist die Grenze, welche der Produktion im Rahmen der nationalen Politik zur Erhaltung nicht erneuerbarer Rohstoffvorräte gesetzt ist.

Ein wesentlicher Fortschritt in der Geschichte der venezolanischen Erdölförderung wird der Verstaatlichung des gesamten Ölsektors zugeschrieben. Nach ausführlichen demokratischen Verhandlungen wurde am 1. Januar 1976 die Verstaatlichung des Erdöls beschlossen. Hierdurch gingen die mehrheitlich in Händen ausländischer Konsortien befindlichen Ölgesellschaften gegen Entschädigung in den ausschliesslichen Besitz des venezolanischen Staates über. Die staatliche Ölgesellschaft «Petróleos de Venezuela» PETROVEN, ist mit der Verwaltung dieses Wirtschaftszweiges beauftragt. Das Unternehmen beschäftigt, einschliesslich seiner Zweigunternehmen, mehr als 22.000 Menschen und besitzt eine hochwertige Ausrüstung. Das Exportvolumen liegt in der Nähe von 7 Milliarden Dollar, womit Venezuela den dritten Rang unter den Exporteuren von flüssigen Brennstoffen einnimmt. Die nachgewiesenen Reserven des Landes sollen sich auf 18 Milliarden Barrel belaufen.

Die beiden grossen Industriekomplexe der heutigen petrochemischen Industrie sind El Tablazo im Staate Zulia und Moron im Staate Carabobo.

Neben den bereits erschlossenen Erdölgebieten besitzt Venezuela noch unerschlossene Vorkommen am Orinoko, deren Erforschung 1973 von der venezolanischen Corporation von Guayana (CVG) eingeleitet wurde. Dieser Landstreifen erstreckt sich vom Orinokodelta in der Nähe von Tucupita bis El Baúl in der Nähe von Calabozo und umfasst eine Fläche von nahezu 45.000 qkm. Nach ganz vorsichtigen Berechnungen werden die Erdölvorkommen in diesem Gebiet auf 700 Milliarden Barrel geschätzt. Diese Menge liegt über den gesamten heute bekannten Erdölvorräten der Welt.

Neben den Möglichkeiten der Ausbeutung des Orinoko-Erdölgürtels hat sich der Erdölindustrie eine weitere Perspektive mit der Ausbeutung des «Off-Shore-Erdöls» eröffnet. Diese Lager befinden sich im Kontinentalsockel, der sich vom Golf von Venezuela bis zum nördlich von Paria (Ostküste) gelegenen Gebiet und dem Landsockel des Orinokodeltas erstreckt. In all diesen Gebieten sind Forschungen im Gange, um die Ergiebigkeit und die Möglichkeiten der industriellen Ausbeutung dieser Erdölvorkommen zu ermitteln. Die bis jetzt angestellten Berechnungen schwanken zwischen 7 und 31 Milliarden Barrel.

Im Jahre 1960 ist Venezuela entscheidend an der Gründung der Organisation erdölexportierender Staaten (OPEP) beteiligt. Es hat sich als Sprecher der ölproduzierenden Staaten zu einem der wichtigsten und aktivsten Mitglieder der Organisation im Kampf um eine gerechte Haltung der Industrieländer gegenüber den Erdölländern entwickelt. Venezuela leistet einen permanenten Beitrag zur verantwortlichen und solidarischen Einheit der OPEP, die eine bedeutende Potenz der Weltwirtschaft darstellt.

II. Die Stahlindustrie

Im Jahre 1960 wurde die Venezolanische Korporation von Guayana (CVG) ins Leben gerufen, deren Aufgabe die Forschung, Planung und Entwicklung in der Südostregion des Landes ist.

Der Hauptindustriezweig, der von der CVG über die staatlichen Stahlbetriebe des Orinoko (SIDOR) verwaltet wird, ist die eisenschaffende Industrie.

Nachdem 1947 die grossen Eisenerzlager des Bolivar-Berges im Süden von Ciudad Bolivar entdeckt wurden, hat die Eisenerzindustrie für das Land eine wachsende Bedeutung erlangt. Dieser Industriezweig wurde im Jahre 1975 verstaatlicht. Alsdann wurde das Eisenerzförderungsunternehmen des Orinoko zum Abbau und zur Ausfuhr von Eisenerzen gegründet. Gleichzeitig erhielt die Stahlindustrie einen neuen Impuls mit der Errichtung eines neuen Stahlwerkes im Staate Zulia. Der grösste Teil der Eisenerzförderung geht somit in die nationale Stahlproduktion, mit dem Ziel, diese im Laufe von 10 bis 15 Jahren auf 15 Millionen Tonnen pro Jahr anzuheben.

Dank der reichen Bauxitvorkommen in Guayana hat sich auch die Aluminiumproduktion sehr stark entwickelt. Mit der Errichtung neuer Produktionseinheiten könnte Venezuela eventuell ein bedeutender Exporteur werden.

Das Wasserkraftwerk von Guri in Guayana ist der bedeutendste Energielieferant für die industrielle Entwicklung Venezuelas. Der augenblickliche Ausbau des Kraftwerkes soll seine Kapazität auf 9 Millionen KW erhöhen, wodurch es dann zu den grössten Kraftwerken der Welt zählen würde.

Ausserdem gibt es in Guayana Gold- und Diamantenlager, sowie andere Edelsteinvorkommen.

III. Die Landwirtschaft

Mit dem Ölboom zu Beginn des Jahrhunderts verlor die Landwirtschaft ihre beherrschende Stellung in der venezolanischen Wirtschaft. Die Landflucht eines grossen Teils der Bauern, die bessere Arbeitsmöglichkeiten in den grossen Städten suchten, war die soziale Folge dieses Ölbooms. Um der Landflucht entgegenzuwirken, wurden Massnahmen zur Wiederbelebung der nationalen Landwirtschaft ergriffen, damit diese den wachsenden Nahrungsmittelbedarf befriedigen kann. Unter anderem ist geplant, 300.000 Hektar Ackerland durch Entwässerung des Orinoko-Deltas zu gewinnen.

Die Hauptanbauprodukte des Landes sind: Baumwolle, Reis, Hafer, Bananen, Kartoffeln, Kakao, Kaffee, Zwiebeln, Bohnen, Erbsen, Mais, Erdnüsse, Gemüse, Tabak, Zuckerrohr, Sisal, sowie eine grosse Anzahl von Früchten.

IV. Die Viehzucht

Um die Viehzucht des Landes zu fördern, wurde Weideland mit besonderen Entwässerungs- und Bewässerungssystemen ausgestattet, die mit Hilfe von Dämmen die Probleme der Dürre und Überschwemmungen in Grenzen halten sollen. Die Llanos-Staaten, die seit der Kolonialzeit die Aufzucht von Rindern und Pferden betreiben, leiden besonders unter den Überschwemmungen und Dürreperioden.

Die wichtigsten Viehzuchtstaaten sind: Apure, Guarico, Barinas, Lara, Falcón und Zulia. Ausser Rindern und Pferden werden dort auch Schweine, Schafe, Maulesel, Esel und Hühner gezüchtet.

V. Der Fischfang

Mit seiner ausgedehnten Meeresküste und den reichen Fischvorräten seiner Küstengewässer gilt Venezuela als bedeutendstes Fischfangland der Karibik. Die spanische Kolonialherrschaft förderte zunächst die Perlenfischerei auf der Insel Cubagua. Seitdem hat sich der Fischfang gleichmässig entwickelt. Die wichtigsten Fischfanggebiete liegen an der Ostküste.

Zu den am häufigsten vorkommenden Fischarten gehören der Corocoro, der Hering, der Sägefisch, die Sardine, die Garnelen und viele Molluskenarten.

VI. Die Verarbeitende Industrie

Zahlreiche verarbeitende Industrien haben sich auf der Grundlage der reichen Rohstoffvorkommen Venezuelas entwickelt. Zu ihnen zählen die Nahrungsmittel-, Textil-, Schuh- und Tabakindustrien, die petrochemische Industrie, der Maschinenbau, die Elektro- und Papierindustrie, die Kautschukverarbeitung usw. Sie bieten der wachsenden Zahl von Arbeitskräften vielfältige Beschäftigungsmöglichkeiten.

SIDOR: *Siderúrgica del Orinoco.*

SIDOR: *Orinoco Steelworks.*

SIDOR : *Sidérurgie de l'Orénoque.*

SIDOR: *Hüttenwerke am Orinoco.*

"Toros Coleados".

"Toros Coleados" bullfight.

Course de "Toros Coleados".

Ländlicher-Stierkampf: "Toros Coleados".

Jugador de Base Ball.

A baseball player.

Joueur de Base Ball.

Baseballspieler.

Pelea de Gallos.

Cockfight.

Combat de coqs.

Hahnenkampf.

Corrida en San Fernando de Apure.

Corrida at San Fernando de Apure.

Corrida à San Fernando de Apure.

Stierkampf in San Fernando de Apure.

El punte de Angostura, de 1.678 m., une los márgenes del Orinoco.

The Angostura Bridge over the Orinoco, 1,678 metres long.

Le pont Angostura, long de 1.678 m, enjambant l'Orenoque.

Die 1.678 m lange Angosturabrücke die den Orenoko überspannt.

Cet ouvrage a été imprimé sur les Presses des Editions DELROISSE
107-109-113, rue de Paris - 92100 BOULOGNE - France

Pour le compte de DISTRIBUIDORA SANTIAGO C.A.
Apartado (P.O. Box) 2589 - CARACAS 101 - VENEZUELA
Apartado 569 - MARACAIBO - ZULIA -VENEZUELA
qui en a l'exclusivité pour la vente au VENEZUELA

Photos : Gérard SIOEN
Photos des Tapis : K. WEIDMANN

Textes : Catalina GASPAR

Maquette : Dominique VERHASSELT - Arte Foto International

Dépôt légal N° 845
ISBN 2-85518-043-0

 DISTRIBUIDORA SANTIAGO C.A.